아테네의 타이먼

한국셰익스피어학회 작품총서 008

아테네의 타이먼 Timon of Athens

윌리엄 셰익스피어 지음
송원문 옮김

도서출판 동인

발간사

지금까지 셰익스피어 작품에 대한 번역은 끊임없이 다양한 동기에 의해 진행되어 왔다. 초창기 셰익스피어 작품 번역은 일본어 번역을 우리말로 옮기는 작업이었다. 일본이 서구에 대한 수용을 활발한 번역을 통해서 시도하였기 때문에 일본어를 공부한 한국 학자들이 번역을 하는데 용이했던 까닭이었다. 하지만 이 경우는 문학적인 차원에서 서구 문학의 상징적 존재인 셰익스피어를 문학적으로 소개하는 것이 목적이어서 문어체를 바탕으로 문장의 내포된 의미를 부연하게 되어 매우 복잡하고 부자연스러운 번역이 주조를 이루었던 것이 문제가 되었다.

그 다음 세대로서 영어에 능숙한 학자들이나 번역가들이 셰익스피어 번역에 참여하게 되었다. 셰익스피어 작품에 대한 수많은 주(note)를 참조하여 문학적 이해와 해석을 곁들인 번역은 작품의 깊이를 파악하는데 많은 도움이 되었다고 볼 수 있다. 하지만 셰익스피어 작품을 무대에 올리는 배우들에게는 또 다른 문제가 생길 수밖에 없었다. 문학적 해석을 번역에 수용하는 문장은 구어체적인 생동감을 느낄 수 없었고, 호흡이 너무 길어 배우가 대사로 처리하기에 부적합하였다.

이런 문제점을 해결하기 위해서 번역가마다 각자 특별한 효과를 내도록 원서에서 느낄 수 있는 운율적 실험을 실시하기도 하였다. 그런 시도는 셰익스피어 번역에 새로운 분위기를 자아내었을 뿐 아니라 다양한 번역이 이루어져 나름의 의미가 있었다고 본다. 반면에 우리말을 영어식의 운율에 맞추는 식의 인위적 효과를 위해서 실험하는 것은 배우들이 대사 처리하기에 또 다른 부자연성을 느끼게 하였다.

한국에서 셰익스피어를 연구하는 학자들이 모이는 한국셰익스피어학회에서 셰익스피어 탄생 450주년을 기념하여 셰익스피어 전작에 대한 새로운 번역을 시도하기로 하였다. 우선 이번 번역은 셰익스피어 원서를 수준 높게 이해하는 학자들이 배우들의 무대 언어에 알맞은 번역을 한다는 점에서 차별성을 두고자 한다. 또한 신세대 학자들이 대거 참여하여 우리말을 현대적 감각에 맞게 구사하여 번역을 하자는 원칙을 정하였다.

시대가 바뀔 때마다 독자들의 언어가 달라지고 이에 부응하는 번역이 나와야 한다고 본다. 무대 위의 배우들과 현대 독자들의 언어감각에 맞는 번역이란 두 마리 토끼를 잡는 것은 그리 쉬운 일은 아니지만 매우 의미 있는 일일 것이다. 이번 한국 셰익스피어 학회가 공인하는 셰익스피어 전작 번역이 성공적으로 이루어지도록 뒷받침하는 도서출판 동인의 이성모 사장에게 심심한 감사의 뜻을 전하며 인문학의 부재의 시대에 새로운 인문학의 부활을 이루어내는 계기가 되리라 믿는다.

2014년 3월

한국셰익스피어학회 17대 회장 박정근

옮긴이의 글

『아테네의 타이먼』은 셰익스피어의 37편의 극작품들 중에서 대중적 관심을 덜 받는 작품에 속한다. 셰익스피어의 극작품들이 시대 · 문화적 환경에 따라 학계와 대중의 사랑을 다르게 받아왔지만, 『아테네의 타이먼』은 그동안 꾸준히 학계와 대중의 관심 밖에 있었다고 볼 수 있다. 번역자인 본인도 대학에서 셰익스피어를 강의하면서 『햄릿』, 『오셀로』, 『말괄량이 길들이기』 등과 같은 작품은 다루었지만 『아테네의 타이먼』을 강의했거나 연구했던 적은 없다. 문득 대학에서 셰익스피어 강의를 시작했던 20년 전의 각오가 생각났다. 매년 작품을 바꾸어 강의할 것이고 매년 다른 작품에 대해 논문을 발표할 것이라 자신에게 다짐했건만, 지난 20년 동안 입에 맞는 소수의 작품들에만 집착에 가깝게 강의와 연구가 집중되었던 것 같다. 이번에 번역을 맡으면서 셰익스피어 연구자로서 연구의 편식에 자책감도 느꼈고, 그만큼 "버려졌던 아이"에 대해 그간의 무관심을 보상해주고 싶은 심정도 있었다.

셰익스피어 연구자로서 『아테네의 타이먼』을 번역해보는 것은 새로운 도전이라는 생각이 든다. 소위 셰익스피어의 "인기 있는" 작품들은 이미 다양한 번역판으로 출간된 반면에, 『아테네의 타이먼』의 경우 현재 소수의 번역본이 주로 전집의 일부로 출간된 상황이다. 이러한 상황으로 미루어볼 때 그간 『아테네의 타이먼』의 번역은 "전집"을 완성하기 위한 필요로 이루어졌다고 보는 게 안타깝지만 설득력이 있어 보인다. 번역을 하는 내내 나의 번역본도 어쩌면 이전의 번역본과 궤를 같이 하지 않을까 염려되었지만, 번역이 끝난 지금 그것은 나의 문제가 아니라는 생각에 마음이 오히려 평온해진다. 최근 우리 사회의 인문학에 대한 홀대와 인문분야에 대한 정책적 외면을 걱정스럽게 바라보면서 번역자 본인이 셰익스피어 작품의 인기, 비인기를 잠시라도 구분했다는 사실이 부끄럽고 미안하다.

셰익스피어의 작품들은 그 주제와 내용이 워낙 다양하다보니 독자가 골고루 그의 작품을 다 사랑하고 읽기를 바라는 것은 무리일 수도 있다. 사실 한국의 학계에서도 2000년 이후 『아테네의 타이먼』에 대한 연구논문이 불과 4편 정도밖에 되지 않는 점을 감안하면, 이 작품이 여러 가지 이유에서 시대적 취향과 부합하지 않는 면이 있지 않나 하는 생각이 든다. 하지만 시대적 성향은 변하는 것이고, 다른 셰익스피어의 작품들이 그랬듯이 『아테네의 타이먼』 역시 학계와 대중적 관심을 조금씩 이끌어내고 있다. 최근 우리 사회뿐만 아니라 서구 자본주의 체제가 지니 부와 물질에 대한 집착과 집중 현상이 사회적 문제와 갈등을 일으키기 시작하면서, 물질에 대한 탐욕과 인간성을 주요한 내용과 주제로 다루고 있는 『아테네의 타이먼』이 예전보다는 더 많은 관심을 받고 있다.

1623년 『아테네의 타이먼』 폴리오(The First Folio) 판 출판 이후 다양한 편집 작업이 있었다. 그중 대표적인 것이 아든(The Arden) 판, 리버사이드(The Riverside) 판, 케임브리지(The New Cambridge) 판, 옥스퍼드(The

Oxford) 판 정도이다. 이번 번역에는 리버사이드 판과 옥스퍼드 판을 내용을 교차확인하기 위해 참조했다. 번역작업을 위해 온라인으로 공개된 <구텐베르크 프로젝트>(Gutenberg Project), <오픈소스 셰익스피어>(Open Source Shakespeare), <셰익스피어 온라인>(Shakespeare Online) 등에서 제공하는 무료 공개 자료들을 서로 비교, 보충해가면서 사용하였다. 옥스퍼드 판이나 케임브리지 판을 사용하면 편리한 점도 있지만 조금이라도 판권법에 저촉되지 않기 위해서였다.

본 번역을 위해 국내 번역본 역시 그 내용을 참조하였다. 특히 1964년 정음사에서 발행한 셰익스피어 전집에 수록된 한노단 교수의 『아테네의 타이몬』과 1996년 단행본으로 발행한 신정옥 교수의 『아테네의 타이먼』은 역자가 어려울 때마다 참조하였다. 또한 셰익스피어의 작품을 현대영어로 번역한 여러 사이트들도 비교해가면서 원전의 의미와 표현을 되도록 지킬 수 있도록 번역하였다.

번역하면서 특히 어려웠던 점은 원전을 우리말로 옮길 때 원전의 길이와 운율을 살리는 것이었다. 원전의 대사가 짧아도 우리말로 번역할 때 길어지는 부분이 있고 또 그 반대도 있기 때문에 내용손실이 없이 무대대사로서 활용될 수 있도록 대사의 길이와 리듬을 살리는 데 많은 시간이 들었다.

『아테네의 타이먼』을 번역하면서 혼자서 자발적으로 하긴 힘들었을 것 같다는 생각을 했다. 번역하기를 지원할 때부터 "이렇게 하겠다고 해놓으면 어떻게든 하겠지"라는 심정으로 시작하긴 했지만 번역하는 내내 보람과 후회를 동시에 느꼈다. 셰익스피어 탄생 450주년을 맞이해서 한국셰익스피어학회가 마련한 셰익스피어 작품 완역이란 사업에 참가할 수 있어 영광이라고 느끼면서도 번역의 지루한 과정이 주는 고통은 현실이었다. 번역하는 도중엔 앞으로 하지 말아야지 하면서도 번역이 끝난 지금은 앞으로 또 할 것 같은 마음이다. 전화로 통화하며 역자에게 번역의 기회를 안배해주신 강경호 교수님, 그리고 먼저 번역하신 결과물을 역자에게 보내주셔서 편리한 안내서가 되게 해주신 김성환 교수님께 감사드린다.

번역을 하면서 그동안 연구와 관련된 여러 현실적인 이해관계 때문에 논문에 집중해온 지난날을 되돌아보게 되었다. 번역물에 대한 홀대를 이유로 번역을 소홀히 했던 자신을 반성하였다. 그리고 이제 교수로서 남은 10년 정도의 세월을 어떻게 보내야 할지, 다시 처음으로 돌아가 내가 원하는 연구가 무엇인지 생각해본다. 생각해보니 셰익스피어 학자 이전에 그냥 문학을 좋아했고 다른 사람과 이야기하기 좋아했던 대학원 시절에 가졌던 많은 꿈들 중에는 분명 좋은 작품을 번역하는 일도 있었다. 이번 작품의 번역을 시작으로 앞으로 내가 원하는 내용으로 사람들과 소통하는 저서를 발간하도록 힘써야겠다.

2015년 4월

송원문

| 차례 |

등장인물

장소: 아테네와 근처의 숲

타이먼 아테네의 귀족
루시어스
루컬러스
셈프로니어스 — 아첨하는 귀족들
벤티디어스 타이먼의 미덥지 못한 친구
아페만터스 돈에 눈이 먼 철학자
알시비아데스 아테네의 군인
플라비어스 타이먼의 집사
플라미니어스
루실리어스
세빌리어스 — 타이먼의 하인들
카피스
필로터스
타이터스
호텐시어스 — 타이먼의 채권자들의 하인들
벤티디어스의 하인들
바로
이시도르 — 타이먼의 채권자들
3명의 이방인들
늙은 아테네인
시동
바보
시인, 화가, 보석상, 상인
프리니아
타이만드라 — 알시비아데스의 정부들
귀족들, 의원들, 관리들, 군인들, 하인들, 도둑들, 시종들
가면을 쓴 큐피드와 여군들

1막

1장

아테네. 타이먼 저택의 홀.

[시인, 화가, 보석상, 상인, 그리고 몇몇 사람들이 여러 문으로 등장한다.]

시인 안녕하십니까.

화가 건강하시니 좋습니다.

시인 오랫동안 뵙지 못했군요. 세상형편이 어떻게 돌아가고 있습니까?

화가 갈수록 야박해져요.

5 **시인** 네, 그야 잘 알고 있죠.
하지만 특별히 유별난 소식은 없나요? 여태 접하지 못했던
그런 이상한 그런 일은요? 자 보세요,
저 관대한 은혜의 마법을! 바로 그 관대한 힘 때문에
이 모든 사람들을 모여들게 하죠! 난 저 상인을 알아요.

10 **시인** 난 둘 다 알죠, 다른 한 사람은 보석상이군요.

상인 오, 참으로 훌륭한 분입니다!

보석상 에이, 그야 다 알고 있죠.

상인 더 비할 바가 없는 분이죠. 마치 늘 그런 것처럼,
지치지도 않고 선행을 계속하시려고 사시는 것 같아요.
15 누구도 그분을 따를 수 없죠.

보석상 여기 보석을 하나 가져왔소만 . . . .

상인 오, 한번 봅시다. 타이먼 공을 위한 것이요?

보석상 만약 그분이 내가 원하는 값을 치르신다면, 하지만 그게 좀 . . . .

시인 [홀로 시를 낭송하며] '우리가 보상을 바라고

더러운 것을 찬미할 때 20

그것은 선함을 올바르게 칭송하는

좋은 시구절의 영광을 더럽히노라.'

상인 모양이 좋군요.

[보석을 들여다보며]

보석상 그리고 화려하죠. 대단한 광채를 가지고 있습죠, 보시다시피.[1]

화가 당신은 위대하신 각하에게 헌정할 바로 그 작품에 25

넋이 빠져 있군요.

시인 그것은 그냥 내게서 흘러나오는 것이죠.

시라는 것은 고무진액 같은 것이라서,

나무가 자라면 흘러나오는 것이지요. 부싯돌의

불은 비로소 돌을 부딪쳐야 보이지만, 30

우리들의 고상한 영감은[2] 별다른 자극이 없더라도

그냥 흘러나오죠, 마치 사방으로 할퀴며 퍼져가는

급류처럼. 거기 형씨는 뭘 가지고 계신가?

화가 그림입니다. 선생의 책은 언제 나옵니까?

---

1. "here is a water," water는 투명하고 반짝이는 물질을 의미하며, 보석이 맑고 빛난다는 것을 설명한다.

2. fire: 시적 영감, 상상력, 정열.

35 **시인** 헌정이 끝나자마자 바로 나옵니다.

어디 형씨의 작품을 좀 봅시다.

화가 괜찮은 작품입니다.

시인 그렇군요. 아주 잘 그려졌어요.

화가 나쁘진 않습니다.

40 **시인** 대단합니다. 이 우아함은

그분의 자태를 그대로 나타내고 있어요! 이 눈에서 내뿜는

정신의 힘! 이 입술에서 드러나는 대단한 상상력! 말없는

그림이지만 누구든 이 자태가 의미하는 바를

해석할 수 있겠어요.[3]

45 **화가** 실물을 그대로 옮겨다 놓았죠.

여기가 특색이 있죠, 어떻습니까?

시인 말씀드리자면,

작품이 자연을 가르치고 있어요.[4] 인위적인 기교가

이 붓 터치에 실제보다 더 생생하게 살아있어요.

[원로원 의원들이 등장해서 지나간다.]

50 **화가** 얼마나 많은 사람들이 이 댁 각하를 추종하시는지!

시인 아테네의 원로원 의원님들이시군요, 참 행복한 분들이죠!

---

3. "그림은 말없는 시고, 시는 말하는 그림이다"(Painting is a dumb poesy, and a poesy is a speaking picture)라는 당시의 일반화된 미학을 반영하고 있다.
4. 필립 시드니(Philip Sidney)가 『시의 옹호』(*Defence of Poetry*)에서 시를 "자연이 생성한 것보다 더 나은 것"(things better than nature bringeth forth)이라 주장한 당시의 시에 대한 문학관을 반영하고 있다.

화가 보세요, 더 옵니다!

시인 이 군중들을 보세요, 대단한 방문객들의 홍수를.
저는 이 서툰 작품 속에 한 사람을 형상화 해보았습니다.
이 세상 아래 사람들이 엄청난 호의를 가지고 55
보듬고 포옹하고자 하는 그분을 말입니다. 나의 자유로운 생각은
세세한 것들에 멈추지 않고, 넓은 글씨 판을[5] 저절로
움직여 가죠. 제가 쓰는 어떤 것에도
조금의 악의가 없습니다.
하지만 독수리처럼 대담하게 앞으로 날아가 60
뒤에는 흔적[6]을 남기지 않습니다.

화가 무슨 말씀이신지?

시인 풀어서 설명 드리겠습니다.
보십시오, 모든 계층의 사람들, 모든 성품들,
즉 진중하고 엄격한 성질뿐만 아니라 65
수다스럽고 교활한 인간들까지 어떻게
타이먼 공을 받들어 모시고자 하는지, 그분의
선하고 자비로운 성품에다 막대한 부는
모든 부류의 사람들의 사랑과 복종을 그분께
쏠리게 했지요. 허망한 아첨꾼들로부터 70
그 자신뿐만 아니라 어떤 것도 사랑하지 않는

---

5. a wide sea of wax는 wax tablet을 의미한다. wax tablet은 글씨판으로, 로마인들이 사용했다. 종이 대신 나무판 위에 왁스를 펴서 판을 만들어 그 위에 긁어서 기록했다.
6. tract는 trace로 추정된다.

아페만터스에 이르기까지
그분 앞에선 무릎을 꿇지요,
그러곤 타이먼 공이 고개를 끄덕이며 아는 체하면
75 부자가 되어 행복해져서 돌아가지요.

화가 저도 그 사람들이 서로 이야기하고 있는 것을 봤습니다.

시인 선생, 저는 운명의 여신이 높고 아름다운 언덕 꼭대기에
놓인 옥좌에 앉아 계신 것을 상상해봤어요. 그 언덕 아랫바닥에는
공적에[7] 따라 모든 종류의 피조물들이 늘어서서
80 이 지구상에서 자신의 처지를 더 낫게 만들려고
아등바등하고 있지요. 그런 무리들 가운데,
이 옥좌에 앉은 고귀한 여신[8]이 눈길을 고정시키는 한 사람,
저는 그 사람을 타이먼 공처럼 표현하고 있지요,
여신은 상아 같이 흰 손으로 그 사람을 손짓해 부르죠,
85 그 사람의 감출 수 없는 인자함은 모든 경쟁자들을
마치 하인이나 노예처럼 보이게 만들어버리죠.

화가 정말 그 표현의 착상이 제대로 되었군요.
이 옥좌, 여신, 그리고 언덕 하며, 제 생각엔,
그 아래의 나머지 것들에서 불려 올라온 한 사람으로 하여금,
90 가파른 산꼭대기로 머리를 조아리며
자신이 행복을 향해 기어오르는 것이

---

7. deserts: 공적, 공과, 보답
8. "고귀한 여신"(this sovereign lady)은 운명의 여신을 의미하며 전통적 의미의 여신이나 창녀의 의미를 동시에 담고 있다.

예술적 상황으로 잘 표현된 것 같군요.

시인 아니죠, 제 말을 더 들어보세요.
최근까지 그분의 동료였던 모든 이들이,
그들 중 몇몇은 그분보다 더 부유하기도 했지요, 95
즉시 그분의 발길을 쫓아 따라가 그분의 거실을 가득 채웠고,
그분의 귀에다 기원하는 속삭임을 퍼부었어요,
그 사람들은 그분의 말타는 등자조차도 숭배하는 듯 했죠,
마치 그들이 들이마시는 공짜 공기도 그분이 주신 것처럼.

화가 예, 확실히 그렇죠, 그래서요? 100

시인 변덕스러운 운명의 여신이 마음이 변해
최근에 사랑했던 사람을 내쳐버리고, 그를 쫓아
산꼭대기까지, 무릎과 손으로 기어서라도 따랐던
그에게 의존했던 모든 사람들이 그분이 미끄러져 떨어지는 것을
그대로 두었답니다. 아무도 그분이 추락하는 바닥까지 함께하지 않았죠. 105

화가 보통 그렇죠.
저는 도덕적 가르침이 담긴 수천 개의 그림을 보여줄 수 있어요,
그 그림들은 운명의 급작스러운 변화들을 말보다 훨씬
더 잘 보여줄 수 있지요. 하지만 선생께선 다른 사람을 밟고
일어나는 배은망덕[9]을 비천한 눈으로도 살필 수 있도록 110
타이먼 공을 통해 잘 보여주고 있어요.

---

9. "다른 사람들 밟고 일어나는 배은망덕"(the food above the head), 즉 머리가 발 위에 있는 것이 정상이지만 발이 머리 위로 가는 상황을 묘사하여 기존의 질서가 전도된 상황을 표현한다.

[나팔 소리. 타이먼 공이 입장하여 모든 추종자들에게 공손하게 인사한다. 벤티디어스가 보낸 전령이 타이먼 공과 이야기를 하고 있으며, 루실리어스와 다른 하인들이 따르고 있다.]

타이먼 그가 감옥에 갇혔다고 말했나?

전령 예, 나리. 그분의 빚이 5탈렌트입니다.[10]
돈이 부족한 데다, 채권자들이 아주 깐깐합니다.
115 주인님은 나리께서 주인님을 가둔 사람들에게
편지를 한통 보내주시길 바랍니다. 그 편지가 없으면
주인님은 희망이라곤 가질 수 없습니다.

타이먼 고귀한 벤티디어스가! 잘 알겠다.
나는 나를 필요로 하는 친구를 뿌리치는
120 그런 하찮은 사람이 아니다.[11] 나는 그를 알고 있어,
도움을 받아 합당한 신사지,
그는 도움을 받을 것이고, 내가 그의 빚을 갚고,
그를 풀어주겠네.

전령 주인님은 각하에게 평생의 빚을 졌습니다.

125 **타이먼** 주인께 내 인사를 전해주게. 내가 그의 몸값을 보내줄 것이네.
그가 풀려나면, 나를 찾아오라고 하시게.

---

10. "탈렌트"(talent)는 그리스 등지에서 사용된 단위로, 1 탈렌트는 25킬로그램의 은에 해당되거나 그 이상의 가치라고 여겨진다. 셰익스피어는 탈렌트가 정확히 어느 정도의 가치에 해당되는지 언급하지 않았지만 은 25킬로그램에 해당되는 1 탈렌트에 대한 가치를 짐작해볼 때 5 탈렌트는 막대한 금액이라고 여겨진다.

11. "그런 – 사람" 혹은 "무리"를 표현하기 위해 "feather"라는 표현을 쓰고 있는데, 이 feather는 "성질"을 의미한다.

약한 자를 도와주는 것만으론 부족해,
나중에 그를 지원해줘야겠어. 잘 가게.

전령 행복하시길 빕니다.

[퇴장]

[아테네의 노시민 등장]

노시민 타이먼 공, 제 말을 좀 들어보세요. 130

타이먼 편하게 하세요, 어르신.

노시민 각하께선 루실리어스라는 하인을 데리고 있습죠.

타이먼 데리고 있습니다만, 왜 그러시죠?

노시민 고귀하신 타이먼 공, 그 사람을 이 앞으로 불러주십시오.

타이먼 그를 이리 데려와, 없다고? 루실리어스! 135

루실리어스 여기 있습니다. 주인님.

노시민 타이먼 공, 여기 이놈이, 바로 이 인간이
밤이면 제 집을 들락거립니다. 저는 돈을 절약해서
모으는 데 항상 주의를 기울여왔습니다.
그리고 제 재산을 물려받을 만한 사람으론 140
음식[12]이나 나르는 하인보다는 나은 사람을 원합니다.

타이먼 알겠습니다. 그리고요?

노시민 저는 딸 하나뿐이고, 제가 가진 것을 넘겨줄
다른 가족이 없습니다.

---

12. trencher: 나무접시, 목판, 식사, 음식

145 딸아이는 예쁘고, 딱 결혼하기 좋은 나이죠,
그리고 딸애가 최고의 소양을 갖추도록
돈을 많이 들여 길렀습니다. 나리의 하인인 이놈이
내 딸을 사랑하려 합니다. 고귀하신 각하, 제발
저놈이 내 딸 근처를 얼씬거리지 못하게 해주십시오.
150 제가 저놈에게 말해봤자 소용이 없습니다.

타이먼 저 사람은 정직하다오.

노시민 정직해야겠지요, 타이먼 나리.
정직은 그 자체로 저놈의 보답이 되게 하시고,[13]
제 딸을 거기에 얹어서 포함시켜서는 안 됩니다.

155 **타이먼** 딸은 그를 사랑하는가?

노시민 딸아이는 젊으니 유혹에 쉽게 빠지죠.
우리가 이미 겪어본 젊은 열정이 어떤지 알지 않습니까,
젊은 시절의 경솔함이 어떻다는 것을요.

타이먼 [루실리어스에게] 넌 그 처녀를 사랑하느냐?

160 **루실리어스** 예, 나리, 그리고 그 처녀도 제 사랑을 승낙했습니다.

노시민 만약 저의 동의가 없이 제 딸이 결혼한다면,[14]
저는 신들을 불러서 제가 거지들 중에서

---

13. "Virtue is its own reward."(선행은 그 자체가 보답이다)라는 속담에서 유래된 표현이다.

14. 영국 르네상스기 가부장적 담론에 따르면, 아버지의 동의가 없이 딸이 결혼하는 것을 있을 수 없는 일이며, 이러한 결혼은 셰익스피어의 작품에서도 종종 비극으로 그려진다. 『오셀로』나 『로미오와 줄리엣』도 같은 맥락에서 비극의 원인을 찾을 수 있다.

저의 상속자를 뽑는 것을 목격하도록 하겠습니다.
그리고 제 딸은 완전히 재산을 박탈당하게 될 것입니다.

타이먼 만약 같은 계층 출신의 남자와 딸이 짝을 맺는다면, 165
딸은 어떻게 지참금을 받게 되죠?[15]

노시민 당장에 3 탈렌트 하고, 후일 모든 것을 가지게 되죠.

타이먼 내가 데리고 있는 이 신사는 오랫동안 나를 섬겼어요.
그의 앞날을 이루는 데 내가 좀 힘을 써주고 싶소,
그게 사람의 도리이기 때문이요. 그에게 딸을 주시오. 170
노인께서 딸에게 주는 만큼, 나도 그에게 그만큼 주어서
그가 당신 딸과 똑같이 되도록 만들어주겠소.

노시민 고귀하신 나리,
만약 제게 이러한 영예를 베푸신다면, 그는 내 딸을 가질 수 있습니다.

타이먼 악수를 합시다, 그리고 그렇게 할 것을 당신께 약속합니다. 175

루실리어스 진정으로 머리 숙여 주인님께 감사합니다.
어떤 지위와 재산이 제게 굴러 떨어져도,
모두 주인님께 빚진 것입니다.

[루실리어스와 노시민이 퇴장한다.]

시인 제 작품을 받아주시고, 각하께서 만수무강하시길!

---

15. 영국 르네상스의 결혼풍속에서 "지참금"(dowry)의 액수는 계층의 차이를 메우는 중요한 수단이 되었다. 여자가 결혼할 때 일방적으로 지참금을 지불하는 것이 아니라 신랑과 신부의 사회적 계층의 차이에 따라 지참금을 마련하는 쪽이 달라질 수 있다.

180 **타이먼** 고맙소, 곧 답례를 할 테니,

멀리 가지 마시오. 저분은 뭘 가져 오셨소?

화가 그림입니다. 각하께서 받아주시길

간청합니다.

타이먼 그림은 환영하오.

185 그림이 거의 실제 사람 같군요.

부정직한 보고는 사람을 원래보다 좋게 만들기 때문에

사람의 겉모습만 말하죠. 이 연필로 그려진 모습은

정확히 원래의 그 모습 그대로죠. 당신의 작품이 좋습니다.

내가 작품을 좋아한다는 것을 알게 될 거예요. 제게서

190 답례의 말을 들을 때까지 기다려주십시오.

화가 신이여 각하를 보호하소서!

타이먼 잘 가시오, 신사분들. 손을 이리 주시오.

함께 식사를 해야 해요. 당신의 보석은

자자한 칭찬 때문에 잘 팔릴 것 같진 않군요.

195 **보석상** 무슨 말씀이신지, 각하! 사람들이 제 보석을 비난합니까?

타이먼 아니오, 질리는 이상으로 칭찬하오.

만약 칭찬하는 양만큼 내가 당신께 지불해야 한다면,

난 파산할 것이요.

보석상 각하, 보석의 가격은

200 파는 사람이 매기는 것이죠. 그러나 각하께서 잘 아시다시피

누가 물건을 소유하느냐에 따라 그 물건들은 다른 가치를

지니게 되지요. 저를 한번 믿어보십시오, 존경하는 각하,

각하께서 착용하시면 그 보석이 더 좋아질 겁니다.

타이먼 참으로 잘 놀리는구먼.

상인 아닙니다, 각하. 저 사람은 그저 모든 사람들이 말하는 205
일반적인 말을 하고 있는 것입니다.

타이먼 누가 오고 있는지 보시오. 꾸지람을 좀 듣고 싶습니까?

[아페만터스 입장][16]

보석상 각하와 함께 있으니, 우리가 참겠습니다.

상인 저 사람에게는 누구도 예외가 없습니다.

타이먼 안녕하시오, 점잖으신 아페만터스! 210

아페만터스 내가 점잖아질 때까지, 안녕하냔 내 인사를 못 받을 거요.
당신이 타이먼의 개가 되고나면, 저 악당 놈들이 정직해질 거요.

타이먼 왜 저 분들을 악당이라 부르십니까? 당신은 저 사람들을 모르잖습니까?

아페만터스 저들이 아테네 사람들 아닙니까? 215

타이먼 그렇습니다.

아페만터스 그러면 내 말을 후회하지 않겠소.

---

16. 아페만터스는 그리스 금욕주의 키니코스 학파의 디오게네스(Diogenes)를 재현하고 있다. 가난을 부끄러워하지 않고, 있는 그대로 자연의 상태를 중시했다. 아페만터스는 몰락 이전의 타이먼, 그 주변 인물들의 가치관과 상반된 성격의 소유자로 등장한다. "키니코스"가 그리스어로 "개"를 의미하는 것처럼, "아페만터스"라는 이름도 "ape + man + tus"가 되어 인간의 욕망과 가치를 비웃는 "키니코스" 철학의 의도를 숨기고 있다.

보석상 저를 아십니까, 아페만터스 씨?

아페만터스 내가 알고 있는 줄은 자네가 알지 않나. 난 자네를 이름으로 불렀어.

220 **타이먼** 당신은 오만하오, 아페만터스.

아페만터스 내가 타이먼과 같지 않은 것에 비하면 아무것도 아니지.

타이먼 어디로 가시오?

아페만터스 어떤 정직한 아테네 놈의 대갈통을 부수어놓으려 가오.

타이먼 그렇게 행동하시면 그 때문에 죽게 될 것이오.

225 **아페만터스** 옳소, 만약에 아무것도 하지 않는 것이 법에 따라 사형에 처할 만한 것이라면.

타이먼 이 그림이 어떻소, 아페만터스?

아페만터스 그 순진함에선 최고야.

타이먼 화가가 작품을 잘 그렸나요?

230 **아페만터스** 그 화가를 만든 분이 더 잘했죠, 그러나 그 화가 놈은 여전히 더러운 작품이야.

화가 당신은 개야.[17]

아페만터스 당신 어머니도 나와 같은 족속인데, 만일 내가 개면, 당신 어머니는 뭐야?

235 **타이먼** 함께 식사를 하시겠소, 아페만터스?

아페만터스 아니오, 난 각하들은 먹지 않소.[18]

---

17. "개"는 아페만터스를 통해 재현하는 디오게네스의 철학적 특성을 의미하는 말이다. 디오게네스가 속한 학파가 "키니코스" 학파인데, "키니코스"는 영어로 "cynic"에 해당되며, 그리스 어로는 "개"라는 말에서 유래했다.

18. 타이먼이 "dine with"라고 말했으나 아페만터스는 "dine on"으로 알아들은 것처럼 말하고 있다.

타이먼 만일에 그런다면, 당신은 부인들을 화나게 만들 거요.

아페만터스 오, 그 부인들이 각하들을 먹는다면, 그게 바로 그 부인네들이 배가 부르게 되는 방법이지.[19]

타이먼 그건 음탕한 생각이요. 240

아페만터스 그게 바로 당신이 음탕하게 바라보는 것이지, 수고스럽게도.

타이먼 보석에 대해선 어떻게 생각하오, 아페만터스?

아페만터스 정직한 거래만치도 좋아하지 않소, 정직한 거래는 사람에게 땡전 하나 생기지도 않지만.

타이먼 보석의 가치는 어떻다고 생각하오? 245

아페만터스 생각할 가치도 없소. 어떠시오, 시인 당신은?

시인 어떠시오, 철학자 당신은!

아페만터스 당신은 거짓말을 하고 있소.

시인 당신은 아니란 말이요?

아페만터스 그렇소. 250

시인 그렇다면, 난 거짓말을 하고 있지 않소.

아페만터스 당신은 시인이 아니요?

시인 시인이요.

아페만터스 그러면 당신은 거짓말을 하고 있소,[20] 당신의 마지막 작품을 보시오. 255

---

19. "dine"을 "먹다"라는 식인의 의미와 함께 성애를 뜻하는 이중적 의미로 아페만터스는 사용하고 있다.

20. "화가와 시인은 거짓말을 할 권리가 있다"라는 속담에 의거한 대사다. 결국 화가와 시인이기 때문에 거짓말쟁이라는 것을 아페만터스는 말하고 있다.

거기서 당신은 타이먼을 존경할 만한 사람으로 표현했소.

시인 그건 거짓이 아니요, 그분은 정말 그렇소.

아페만터스 그래요, 그 사람은 당신에겐 좋은 분이죠, 당신의 작품에 대가를 지불해주니까. 아첨받기를 좋아하는 그 사람은 아첨하는 당신이나

260 같은 놈들이지. 하늘이시여, 나도 각하나 되었더라면!

타이먼 그렇다면 어떻게 할 건가, 아페만터스?

아페만터스 지금 내가 하는 것과 똑같이 하지, 난 각하라는 놈들을 진심으로 미워하지.

타이먼 뭐라고, 자신을 미워한다고?

265 **아페만터스** 그렇소.

타이먼 왜요?

아페만터스 각하라는 것이 되면 분노할 재치도 내가 갖지 못할 테니. 당신은 상인이 아닙니까?

상인 그렇소, 아페만터스.

270 **아페만터스** 장사가 그대를 망하게 하소서, 만약 신이 그러지 못한다면!

상인 만일 장사로 망한다면, 그건 신이 그런 것이죠.

아페만터스 장사가 당신의 신이면, 당신의 신이 당신을 망하게 하소서!

[나팔 소리. 전령 입장]

타이먼 저 나팔소리는 무엇인가?

전령 알시비아데스 님과 말을 탄 20명의 사람들입니다.[21]

---

21. "Alcibiades"에 대한 발음이 다양하게 사용되고 있다. "알시바이아디즈," "알키바이아디즈," 혹은 "알키비아디즈"라고도 발음된다.

모두 동행입니다. 275

타이먼 그분들을 기쁘게 맞이하고, 우리들에게 모셔 와라.

[몇몇 시종들이 퇴장]

나와 식사를 해야 되니 내가 사례를 할 때까지
가지 마시오. 식사가 끝나면,
이 작품을 내게 보여주시오. 여러분을 보니 기쁘군요.

[다른 사람들과 알시비아데스 입장]

정말 환영합니다. 280

아페만터스 그래, 그래, 그거야!
고통이 파고들어 너희들의 부드러운 관절을 약하게 하지!
이런 간교한 악당 놈들 사이엔 사랑이란 거의 없지,
그리고 도를 넘는 허례 좀 보라지! 인간이란 종자들이
비비[22]나 원숭이로 변하고 있어. 285

알시비아데스 각하는 제가 뵙기를 바라던 분입니다.
굶주린 자가 배를 채우듯이 각하를 마음껏 보겠습니다.

타이먼 정말로 환영합니다.
떠나기 전까지 우린 다양한 즐거움을 누리면서
많은 시간을 함께할 수 있어요, 자 부디 안으로 드십시오. 290

---

22. baboon: 비비

[아페만터스를 빼고는 모두 퇴장]

[두 명의 귀족이 등장]

귀족1 시간이 어떻게 되나, 아페만터스?

아페만터스 정직해져야 할 시간이오.

귀족1 그런 시간이야 언제나 필요하지.

아페만터스 그대들이 저주를 받을수록, 정직이란 놈을 생략해버리거든.

295 **귀족2** 자넨 타이먼 공의 만찬에 갈 건가?

아페만터스 그럼요, 고기가 악당 놈들을 채우고, 술이 바보들을 후끈 달아 오르게 하는 것을 봐야죠.

귀족2 잘 가게, 잘 가시게나.

아페만터스 내게 두 번이나 잘 가라고 하니 당신은 바보구려.

300 **귀족2** 왜 그렇지, 아페만터스?

아페만터스 작별인사 한 번은 자신을 위해 간직해야지, 왜냐면 난 당신께 인사를 주지 않을 거니까.

귀족1 가서 목이나 매고 뒈져버려!

아페만터스 아니, 난 네놈이 시키는 대로는 아무것도 하지 않을 거야.

305 당신 친구에게나 그런 짓을 하라고 부탁해보지 그래.

귀족2 꺼져버려, 소란스러운 개 같으니, 아니면 내가 네놈을 발로 차서 쫓아버릴 테다.

아페만터스 난 바보[23]의 발길질을 피해 개처럼 도망치겠소.

---

23. ass: 당나귀, 바보. 중의적 의미를 가진다.

[퇴장]

귀족1 저놈은 모든 인류를 적대시하고 있소. 자, 안으로 드실까요,
그리고 타이먼 공의 환대를 맛볼까요? 타이먼 공은 310
관대함 그 자체보다 더 관대하신 분이지요.

귀족2 그분은 거침없이 뿌려대죠, 황금의 신 플루투스[24]도 그분의
집사 정도밖에는 안돼요. 그분은 실제 가치보다 일곱 배나 후하게
보답을 쳐주시지. 이자를 붙여서 값을 쳐주지
않은 선물이 절대로 없지요. 315

귀족1 그분은 그 누구도 갖지 못했던
최고로 고귀한 마음을 가지고 계십니다.

귀족2 그분이 영원히 번창하시기를! 안으로 드실까요?

귀족1 제가 동행해서 모시겠습니다.

[퇴장]

---

24. Plutus: 풍요의 신. 르네상스기 회화에서는 플루투스가 뿔 술잔을 든 발가벗은 소년으로 등장하기도 한다.

2장

타이먼 저택의 연회장

[오보에가 큰 소리로 연주되고 있다. 대단한 연회가 벌어진다.
플라비어스와 다른 종자들이 시중을 들고 있다. 그리고 타이먼 공과
알시비아데스, 귀족들, 원로원 위원들, 그리고 벤티디어스가 입장한다.
그런 다음, 결국 자신처럼 불만스럽게 아페만터스가 들어온다.]

벤티디어스 가장 영예로운 타이먼 공이시여,
신들께서 제 아버지의 연세를 기꺼이 기억해내시곤,
아버지를 긴 휴식으로 불러들이셨습니다.
아버지께선 행복하게 세상을 하직하셨고, 제게 한 재산을 남기셨
5 습니다.
제가 각하의 관대함에 감사의 빚을 진
것처럼, 저는 감사와 존경과 함께
제게 자유를 안겨다 준 이 돈을 각하에게
돌려드립니다.

10 **타이먼** 오, 안 될 말일세,
정직한 벤티디어스, 자넨 내 사랑을 곡해하고 있네,
난 항상 그것을 공짜로 주었다네, 만약 다시 받는다면,
그 누구도 주었다고 진정으로 말하지 않을 걸세.
만약 우리보다 나은 사람들이 그러한 주고받는 일을 하더라도,

우린 감히 그들을 본받지 않을 것이네. 부유한 자의 잘못은 15
괜찮은 것이네.[25]

벤티디어스 오, 고귀한 정신이여!

타이먼 아닙니다, 여러분,

[모두가 일어나서 격식을 차려서 본다.]

예법이란 단지 사소한 행위나, 공허한 환영, 잘못된 선행을
겉으로 좀 더 잘 보이게 하기 위해 고안된 것이지요. 보이기 전에 20
뉘우쳐야 하는 것이죠. 그러나 진정한 우정이 있는 곳엔,
그런 예법은 필요치 않습니다.
앉아주십시오, 저의 재물이 저를 환영하는 것보다
저의 재물에 대해 여러분을 더 환영하는 바입니다.

귀족1 각하, 우리는 항상 그렇다고 고백했습니다. 25

아페만터스 하하! 고백했다고! 목 매달리지는 않았는지?

타이먼 오, 아페만터스, 환영하오.

아페만터스 아니오, 당신은 나를 환대받게 하진 못할 것이오.
나는 차여서 내쫓기려고 당신께 온 거요.

타이먼 이런, 당신은 고집쟁이요. 그런 성질머리를 가지고는 30
신사답지 못할 거요. 아주 비난받을 짓이지요.
분노는 잠깐 동안의 광기라고 말하지 않습니까, 그러나
저 사람은 항상 화가 나 있죠.

---

25. 부자가 잘못을 하더라도 세상은 그것을 탓하지 않는다는 의미다. "부자는 잘못이 없다."(Rich men have no fault.)라는 속담과 연관이 있는 내용이다.

35 저 사람에게 자신만의 식탁을 마련해주시오, 왜냐면
저 사람은 어울리는 것을 싫어하고, 사실 그런 행동에
맞지도 않기 때문이죠.

아페만터스 타이먼, 당신 책임하에 나를 머물게 해주시오.
난 살펴보고자 온 것이오. 내 당신께 경고하는 바이오.

타이먼 당신께 관심을 주지는 않겠소. 당신이 아테네 사람이니까,
40 환영하는 바이오. 내가 힘은 없소, 그러니 제발,
고기를 좀 드시고 조용히 하시오.

아페만터스 난 당신의 고기는 싫소, 고기가 목에 걸릴 것 같소.
나는 당신에게 절대로 아첨을 하지 않을 것이기 때문이요. 오, 신이여,
얼마나 많은 사람들이 타이먼을 뜯어먹으려는지, 그는 그것을 모
45 르는구나!
저렇게 많은 사람들이 고기를 한 사람의 피에 찍어 먹는 것을 보는 것은
슬픈 일이야.[26] 그리고 참으로 미친 짓은 그가 사람들을 부추기고
있다는 것이지.
사람들이 다른 사람들을 저렇게 감히 신뢰하다니 그저 놀라운 일이야.
50 내 생각엔 칼을 가지지 않은 사람들을 초대해야 한다고 봐.[27]
그러는 것이 고기도 절약하고, 자신들의 목숨을 위해서도 안전하지.
이런 경우에 대한 많은 사례들이 있지. 바로 옆에 앉아서
함께 빵을 나누고, 잔을 돌려가며 건강을 축원하지만, 바로 그 사람이

---

26. "피"는 타이먼의 피를 의미하며, 피의 상징은 호의를 베푸는 선한 자의 희생을 뜻하므로 타이먼의 만찬은 곧 예수의 마지막 만찬을 닮아 있다.

27. 당시 만찬에 초대된 손님들은 보통 각자 자신의 식사용 칼을 가지고 왔다고 한다.

그를 기꺼이 죽일 수 있는 놈이지. 모든 사람들이 이런 이치를 알
아야 해. 55

만약 내가 큰 인물이 된다면, 난 식사를 하면서

술을 마시는 것이 두려울 거야.

놈들이 내 목줄의 급소를 볼 경우를 대비해서, 위대한 인물들은

목 주위로 갑옷을 두른 채 술을 마시는 게 좋을 거야.

타이먼 각하, 진심을 담아서 축배를 나누시죠. 60

귀족2 이 방향으로 잔을 돌려 보겠습니다, 각하.

아페만터스 이 방향으로! 용감한 양반이야! 형세변화를 잘 보고 있어.

이 모든 건배가 사실 당신을 병들게 할 거야, 타이먼.[28]

이 정직한 물은 너무 순해서 죄악을 저지르게 하지 않으며,

어떤 사람도 곤경에 빠지게 하지 않지. 65

이 물과 내 음식은 똑같은 것이라서 둘 사이에는 차이가 없지.

저 만찬을 처먹는 놈들은 너무 오만해서 신께 감사를 드리지 못하지.

아페만터스에게 내린 은총이여.

불멸의 신이여, 저는 재화를 갈망하지 않습니다.

저는 다른 사람들이 아닌 저를 위해 기도합니다. 70

제가 다른 사람의 맹세나 말을,

혹은 창녀의 눈물이나,[29]

---

28. "건강을 위한 축배가 병들게 하는 축배다."(To drink healths is to drink sickness.) 라는 속담과 연관이 있는 내용이다.

29. 눈물 흘리는 여자에 대한 경계를 의미하고 있다. "여자가 흐느낄 때 여자를 믿지 마라."(Trust not a woman when she weeps.)라는 속담과 관계가 있는 내용이다.

혹은 잠자는 것처럼 보이는 개를,
혹은 내 자유를 감금하고 있는 간수를,
75 그리고 내가 곤란에 처했을 때 내 친구들을
믿을 만큼 저를 어리석게 하지 마시옵소서.
아멘. 자 이제 먹읍시다.
부자는 죄악을, 나는 풀뿌리를 먹겠소.
그대의 소박한 취향에 맞게
80 먹고 마시게, 아페만터스!

타이먼 알시비아데스 장군, 당신의 마음은 전쟁터에 있겠군요.

알시비아데스 제 마음은 항상 각하를 섬기는 데 있습니다, 각하.

타이먼 장군은 친구 분들과 식사하기보다는 적들의 아침식사 자리에
있는 것이 낫겠군요.

85 **알시비아데스** 그래서 그놈들이 신선한 피를 흘리기만 한다면, 각하,
그만한 고기도 없지요. 그런 만찬에 내 친한 친구들과 있고 싶군요.

아페만터스 이 모든 아첨꾼 놈들이 그대의 적이 되기만 한다면,
그러면 그대는 그놈들을 죽여서 내게 그놈들을 먹으라고 할 텐데!

귀족1 각하, 저희는 단지 각하께서 저희들의 진심을 받아주시는
90 행복을 기원합니다. 그래서 우리가 열성을 보여줄 수 있고,
그러면 우리는 영원히 한껏 행복할 거라고 생각합니다.

타이먼 오, 내 친구들이여, 내가 여러분으로부터 많은 도움을
받을 수 있는 기회를 신들이 마련해주실 것이라 믿습니다.
그렇지 않다면 어떻게 우리가 친구로 지내왔겠습니까?
95 만일 여러분이 내 마음에 확고히 자리 잡고 있지 않다면,

왜 수천 명의 사람들 가운데 그런 자비로운 호칭을 여러분이
가질 수가 있겠습니까? 저는 여러분이 겸손하게 여러분에 대해
말씀하시는 것보다 더 많이 여러분을 칭찬해왔습니다.
그래서 저는 여러분이 친구라는 것을 아주 확언합니다.
오, 신이시여, 우리가 친구로부터 필요한 게 없다면, 100
친구가 무슨 소용이겠냐고 저는 생각합니다.
만약 친구가 조금도 쓸모가 없다면, 친구란 것은 살아있는 아무짝에도
쓸모없는 존잽니다. 그것은 마치 소리를 간직하기만 한 채 보관함에
매달아 놓은 음색이 좋은 악기와 같습니다. 저는 종종
제가 가난해지기를 바랍니다, 그렇게 되면 저는 여러분에게 105
좀 더 가까이 다가갈 수 있겠지요.
우리는 이로운 일을 하고자 태어났습니다. 친구들의 재물들보다
내 것이라 부를 수 있는 더 적당한 것이 무엇이 있겠습니까?
오, 형제들처럼 서로의 재물을 많은 사람들이
자유롭게 나누어 쓸 수 있다는 것이 얼마나 위안이 됩니까. 110
오 기쁨이여, 그대는 태어나자마자 없어져버리는구나.
제 눈이 눈물을 가둘 수가 없군요. 제 생각엔, 눈의 잘못을 잊기 위해
여러분을 위해 건배를 들겠습니다.

아페만터스 타이먼, 당신의 울음이 저 사람들로 하여금 술을 마시게 하는구려,

귀족2 저희들의 눈 안에서도 각하와 같은 눈물을 잉태해서 115
갓 태어나는 아이처럼 눈물이 나옵니다.

아페만터스 하하! 그 애가 사생아라고 생각하니 웃음이 나는구나.

귀족3 정말이지, 각하께서는 저를 아주 감동시키셨습니다.

아페만터스 "아주"라고!

[안에서 팡파르가 울린다.]

120 **타이먼** 저 나팔소리는 뭔가?

[하인 입장]

웬일이야?

저 나팔소리는 무슨 뜻이야?

무슨 일이야?

하인 각하, 어떤 숙녀분들이 각하를 만나 뵙기를

125 간절히 바라고 있습니다.

타이먼 숙녀분들이라니! 그분들이 뭘 원하시지?

하인 각하 그분들은 그들의 소망을 전달해줄

전령과 함께 왔습니다.

타이먼 그분들을 안으로 모셔라.

[큐피드 입장]

130 **큐피드** 만세, 존경하는 타이먼 경, 그리고 그분의 은혜를

입고 있는 모든 분들에게 인사를 드립니다. 다섯 개의 최선의

감각[30]이 각하를 오감의 수호자로 인정합니다. 그 감각들은

---

30. "the five best senses" 큐피드는 날개를 달고 눈을 가리고 발가벗은 채로 활과 화살을 들고 등장한다. 큐피드는 감긴 눈 때문에 시각을 제외한 다른 감각으로 만찬의

각하의 너그러움을 찬양하기 위해 왔습니다. 즉 청각,
미각, 촉각, 후각이 각하의 식탁에서 만족해하고 있으며,
이제 필요한 것은 각하의 눈을 위한 만찬입니다. 135

타이먼 모두를 환영하는 바이오, 공손히 안으로 모시도록 하시오.
그들을 환영하는 음악을!

[큐피드 퇴장]

귀족1 보십시오 각하, 각하께선 얼마나 많은 사랑을 받으시는지.

[음악. 아마존으로 분장한 여성들의 가면과 함께 큐피드가 다시 입장,
손에는 류트를 들고 춤추면서 연주한다.]

아페만터스 어이, 이런, 허망한 무리들이 몰려서 이리 오는구나!
춤을 추다니! 저것들은 미친 여자들이야. 140
이승의 영광이란 광기와 같은 것이지.
이 허례에 필요한 것은 단지 약간의 기름과 식물뿌리[31]면 족하지.
우리는 스스로를 바보로 만들어, 장난을 치고,
사람들을 끌어들이려 아첨하는 말들을 흘리고,
그러나 늙게 되면 우린 다시 그 사람들을 내치게 되지. 145
독이든 침과 질투에 가득차서.

훌륭함을 느끼고 있으며, 이제 마지막으로 눈으로 확인하는 절차를 말하고 있다.

31. 약간의 기름과 식물뿌리: 채식주의자들의 대표적인 식단을 의미한다. 아페만터스를 채식주의자로 나타내고 있는데, 이것은 아페만터스가 채식주의자인 디오게네스를 여러 면에서 재현하고 있다고 볼 수 있다.

타락하거나 타락시키지 않고 살아가는 자가 누구란 말인가?
친구로부터 받은 한 마디의 모욕도 죽을 때 무덤으로 가져가지
않는 자가 누가 있단 말인가?
150 나는 지금 내 앞에서 춤추고 있는 저들이 어느 날 나를 짓밟을까
두렵구나. 그런 일은 늘 일어났지.
사람들은 망하는 사람들[32]에게 등을 돌리는 법이지.

[타이먼에게 예를 표하면서 귀족들이 식탁에서 일어난다. 그들의
사랑을 보여주기 위해 각자 아마존 여인들을 골라잡는다.
남자와 여자 모두 춤춘다. 오보에의 고상한 한 두 곡이 흐르고, 춤을 마친다.]

타이먼 아름다운 숙녀분들, 여러분은 우리의 여흥을 위해 참 수고했소이다.
우리의 여흥에 아름다운 모습을 보여주기 전엔
155 이 연회의 아름다움과 우아함이 훨씬 부족했소.
여러분은 연회에 가치와 화려함을 더해줬고,
내 연회에서 나를 즐겁게 했소이다.
난 여러분께 감사하고 싶습니다.

숙녀1 각하, 각하께선 저희들의 가장 좋은 점만 보시는군요.

160 **아페만터스** 장담컨대, 가장 나쁜 것은 추하기 때문에 말하려 하지 않은 거야.

타이먼 숙녀분들, 소박한 연회가 여러분을 기다리고 있습니다
편하게 드시길 바랍니다.

---

32. setting sun: 지는 해, 망하는 사람. "사람들은 지는 해보다 떠오르는 해를 더욱 숭배한다"(Men more worship the rising sun than the setting sun)는 속담과 연관이 있는 대사로 보인다.

모든 숙녀들 정말 감사합니다, 각하.

타이먼 플라비어스

플라비어스 각하? 165

타이먼 그 조그만 궤를 여기 내게로 가져오게.

플라비어스 예, 각하. [방백] 아직도 더 많은 보석이라니!

그의 광기와도 같은 기질을 멈출 수가 없어.

그렇지 않다면, 난 주인님께 단호히 말을 해야 하는데, 모든 걸

다 낭비해버리고 나면, 버려지게 될 거라고 170

나는 말해드리고 싶은데.

관대함은 머리 뒤에 눈을 가지고 있어야 하는데,

그래야 친절한 것 때문에 망하는 일이 없지.

귀족1 우리 종들은 어디에 있느냐?

하인 여기, 주인님, 대기하고 있습니다. 175

귀족2 우리 말을 대령해라!

[궤짝을 가지고 플라비어스 다시 등장]

타이먼 오, 나의 친구들이여,

여러분께 한 마디 하고 싶습니다. 여기를 보십시오, 여러분,

저는 여러분께 간청합니다, 이 보석을 바치오니, 받아주시고,

착용해주시면 제게 큰 영광입니다, 친절하신 여러분. 180

귀족1 저는 이미 각하로부터 선물을 받았습니다.

모두 우리 모두 그렇습니다.

[시종 입장]

시종 주인님, 원로원의 귀족 분들이 지금 막 말에서 내려서
주인님을 만나러 오십니다.

185 **타이먼** 그분들을 대단히 환영하노라.

플라비어스 간청드립니다, 주인님,
제가 한 말씀 올리게 해주십시오, 주인님께 시급하게 관계된 사안입니다.

타이먼 내게 관한 것이라! 그렇다면 나중에 듣겠네.
190 손님들에게 즐거운 환대를 제공하도록 하게.

플라비어스 [방백] 어떻게 해야 할지 모르겠어.

[시종2 입장]

시종2 주인님께서 기뻐하신다면, 루시어스 공이
주인님을 위한 사랑으로 은제 마구가 달린
네 필의 우윳빛의 흰색 말을 주인님께 선물하셨습니다.

195 **타이먼** 그 선물을 예를 다해 받을 것이다. 그 선물을
합당하게 잘 돌봐주도록 해라.

[시종3 입장]

또 뭔가! 무슨 소식이야?

시종3 괜찮으시다면 주인님,
컬러스 공께서 내일 사냥을 함께 가자고 청하시면서

주인님께 두 쌍의 사냥개를 보내왔습니다.[33] 200

타이먼 그분과 사냥을 갈 것이다, 훌륭한 답례를

돌려줄 그 선물을 받도록 해라.

플라비어스 [방백] 이게 어떻게 되려나?

주인님은 대접을 하라, 대단한 선물을 주라 명령하시는데,

그동안 돈 궤짝은 텅 비어버렸고, 205

주인님은 지갑 상황을 알려고도 하지 않으시고, 빈털터리가

되었다는 것을, 부족액을 메울 능력이 없다는 것을

주인님께 내가 보여주는 것도 허락을 않으시니,

주인님이 약속하시는 것은 가지신 것 이상의 것이니,

말씀하시는 모든 것은 주인님의 빚으로 될 것이야. 210

너무 친절하셔서 이제 그 친절에 대한 이자를

지불하고 계시지. 주인님의 땅은 모두 저당 잡혀 있어.

자, 쫓겨나기 전에 내가 차라리

조용히 이 일을 그만두고 싶어!

적보다 더한 요구를 하는 자들보다는 215

차라리 먹일 친구가 없는 편이 행복하겠어.

주인님을 위해 난 속으로 피를 흘리고 있구나.

[퇴장]

---

33. "사냥"은 당시 가장 사치스러운 취미에 속했다. 『아테네의 타이먼』이 1623년에 등록되었다는 기록으로 볼 때 제임스 1세 시기에 공연되었다고 보는 것이 타당하다. 제임스 1세는 지나친 사냥과 낭비로 유명했다는 점을 상기하면 연극에서 언급하는 "사냥"은 타이먼의 사치스러운 생활을 나타낸다고 볼 수 있다.

타이먼 그건 정말 잘못하는 것입니다. 여러분께서는 자신들의 가치를
너무 폄하하십니다. 그저 제 사랑의 사소한 징표입니다.

220 **귀족2** 정말로 고맙게 선물을 받겠습니다.

귀족3 오, 각하는 관대함의 정수입니다.

타이먼 자 이제 저는 기억합니다, 각하께서는 전날
제가 타고 있던 적갈색 준마를 칭찬해주셨습니다.
그 준마는 이제 각하의 것입니다, 왜냐하면 각하께서 그 말을 좋아
225 하시니까요.

귀족2 오, 간청합니다. 각하께선 그 말을 제게 주어선 안 됩니다.

타이먼 제 말을 믿으십시오, 각하. 제가 알기로는 사람들은 욕망하는 것을
진정으로 칭찬하는 법입니다.
제겐 제 친구의 욕구가 제 것만큼이나 중요합니다.
230 진심으로 말하고 있습니다. 저도 각하께 부탁하겠습니다.

모든 귀족들 오, 어떤 사람도 이보다 더 환대를 할 수는 없어.

타이먼 저는 방문해주신 모든 분들로부터 진심으로 친절함을
받았습니다. 되갚아주기에 충분치 않습니다.
제 생각엔 친구들에게 왕국이라도 줄 것 같고,
235 그런 일에 절대 염증이 생기지 않을 것 같습니다. 알시비아데스 각하,
각하는 군인이시니 부유해지기가 힘들죠.
각하에게 부는 자선이란 형태로 오는 것입니다. 왜냐하면 모든
각하의 삶은 죽은 자들 한가운데 있고, 소유하신 모든 땅이
전쟁터이기 때문입니다.

240 **알시비아데스** 예, 더럽혀진 땅이지요, 각하.

귀족1 우리들은 각하에게 고결한 의무를 지고 . . . .

타이먼 저도 여러분께 그렇습니다.

귀족2 너무나도 큰 빚을 지게 . . . .

타이먼 그건 모두 여러분 덕입니다. 불을 켜라, 더 많은 불을 켜라!

귀족1 최상의 행복과 영예와 행운이 245

각하와 함께 하시길, 타이먼 공!

타이먼 여러분을 위해 준비하고 있겠소.

[아페만터스와 타이먼을 제외하곤 모두 퇴장]

아페만터스 여기서 무슨 야단법석이야!

이 고갯짓과 어중간한 놈들의 악수에 답하는 것이라니!

그놈들의 인사란 당신이 그들에게 지불한 양만큼만 250

가치가 있지 않나 싶어. 우정이란 찌꺼기들로 가득 찬 것들이지.

거짓을 가진 자들은 좋은 다리를 가질 수는 없다고 봐.[34]

이처럼 정직한 바보들은 예를 갖추는 누구에게라도 돈을 나누어주지.

타이먼 자, 아페만터스, 만약 자네가 그렇게 언짢아하지 않는다면,

난 자네에게 너그러울 수도 있어. 255

아페만터스 아니오, 난 아무것도 가지지 않을 것이오. 만약 나마저도 매수 된다면,

당신을 비판할 누구도 남아있지 않을 거요. 그런 후엔,

당신은 더욱 빨리 죄를 짓게 될 것이오. 그렇게 남에게 퍼주기만 하면,

---

34. 성적으로 타락하고 부도덕한 사람들은 매독으로 인해 뼈가 부스러져 다리가 부실하다는 내용을 담고 있다.

260 타이먼, 조만간에 당신조차도 잡힐 것이오.
이런 연회와 파티와 허식이
무엇 때문에 필요하오?

타이먼 아니오, 당신이 사교를 다시 한 번 비난한다면, 맹세하지만
난 당신을 배려하지 않겠소. 잘 가시오, 그리고
265 좀 더 나은 이야기를 가지고 오시오.

아페만터스 그렇소,
지금 당신이 내 말을 듣지 않겠다니, 나중에는
그 기회가 없을 거요. 난 당신으로부터 천국을 폐쇄해버리겠소.
오, 사람들의 귀는 충고에 먹게 되고, 아첨에는 그렇지 않지!

2막

1장

원로원 의원의 집

의원 최근에 오천. 바로와 이시도르에게도
그는 구천을 빚졌어. 더구나 내게 빚진 이전의 금액을 더하면,
모두 이만오천이 되는구나. 여전히 맹렬하게 낭비하고 있다니?
그는 이 상태를 유지할 수 없어.
5 만약 내가 황금을 원한다면, 거지의 개를 훔쳐다 타이먼에게
주면 되지, 왜냐하면 그 개가 황금을 만들어내지.
만약 내가 내 말 한필을 팔아서 스무 마리의 더 나은 말을
사고 싶다면, 난 내 말을 타이먼 공에게 주겠어.
내가 그에게 어떤 것도 요구하지 않고, 그냥 그 말을 그에게
10 그냥 주어버려, 즉각 그는 아주 훌륭한 말들을 내게 줄 거야.
그의 집 대문에는 지키는 사람이 없지, 미소를 짓기만 하면
지나가는 누구라도 맞아들이지. 그렇게 지속할 수가 없어.
이성이 있는 자라면 누구도 그의 상황이 안전하다고 볼 수 없어.
카피스, 이봐! 카피스, 내가 부르잖아!

[카피스 입장]

15 **카피스** 여기 대령했습니다. 무슨 분부이십니까?[35]

의원 외투를 걸치고, 타이먼 공에게 급히 가라,
그분에게 내 돈을 돌려달라고 해라. 변명을 하더라도
미뤄주지 말고, 혹은 타이먼 공이 "주인께 말을 전해주시오"하며,
모자를 오른손으로 만지작거릴 때 입 닫고 있지 말고
나도 압박을 받고 있고 내 돈으로 빚을 갚아야 한다고 20
말을 하란 말이다. 그가 갚아야 할 날이 지났고,
그가 어긴 약속을 믿은 대가로 내 신용이 피해를 입었다고.
나는 그를 사랑하고 존경하지만, 그의 손가락을 치료하고자
내 허리를 부술 수는 없지 않겠나.
나는 내 돈을 즉시 필요로 하고, 공손한 말로부터는 25
안도감을 얻을 수 없구나.
난 현찰을 즉시 필요로 해. 떠나거라.
엄한 표정을 짓고,
거절의 대답을 받아 갈 수 없는 사람이 되어라. 왜냐하면,
난 두렵기 때문이다. 모든 재산이 권리를 가진 주인들에 의해 30
압류되게 되면, 타이먼 공은 발가벗겨진 갈매기처럼 남겨질 것이다.[36]
거기서 지금 불길이 불사조를 태우게 되지. 자 떠나거라.[37]

카피스 갑니다, 주인님.

---

35. 루컬러스와 함께 카피스(Caphis)라는 이름도 플루타크(Plutarch)의 『영웅전』에 등장한다.

36. "발가벗겨진 갈매기"는 속아 넘어가기 쉬운 바보를 의미하며, 다른 사람들이 타이먼을 쉽게 속여서 결국 그를 빈털터리로 만들게 될 것이라는 의미를 담고 있다.

37. 불사조는 불에 타 재가 된 후에 그 잿더미 속에서 다시 부활하게 된다. 불사조를 통해 타이먼의 운명을 암시하고 있다.

의원 그래, 거거라! 차용증을 가지고 가라,

35 날짜를 계산해야 한다.

카피스 그렇게 하겠습니다.

의원 가거라.

[퇴장]

2장

같은 곳. 타이먼 저택의 홀.

플라비어스 주인님은 상관하지 않고, 그만 두시지도 않지!
경비에 대해서는 아무른 감이 없어서, 어떻게 유지하는지,
어떻게 지출을 멈추는지 모르시지. 지출에 대해
주의를 기울이지 않으며, 어떻게 감당해갈지 도통 생각이
없으셔. 그렇게 친절한 것이 그보다 더 바보스러울 수가 없어. 5
무엇을 할까? 주인님은 느낄 때까지는 듣지 않으실 거야.
난 솔직하게 주인님께 말해야 해. 이제 사냥에서 돌아오시면.
에잇, 참.

[카피스, 그리고 이시도르와 바로의 하인들 입장]

카피스 안녕하신가, 바로 집안,
돈 때문에 오신건가? 10
바로의 하인 댁도 같은 용무잖소?
카피스 그렇지, 이시도의 하인 당신도 마찬가지요?
이시도르의 하인 그렇소.
카피스 이 일이 잘 마무리되었으면 좋겠어!
바로의 하인 걱정이 되는데. 15
카피스 각하께서 여기 오십니다.

[타이먼, 알시비아데스, 그리고 귀족들 입장]

타이먼 저녁식사가 끝나자마자 우리 다시 나갑시다,
친구 알시비아데스. 나한테 용무가 있다고? 무슨 일로?
카피스 각하, 여기 빌린 돈이 적힌 차용증입니다.
20 **타이먼** 빌린 돈이라니! 자넨 어디서 온 건가?
카피스 여기 아테네에서 왔습니다, 각하.
타이먼 내 집사에게로 가보거라.
카피스 죄송합니다만, 각하, 그 집사분은 이번 달에 계속
내일로 미루어왔습니다.
25 저희 주인님께서는 돈이 필요한 아주 다급한
일이 생겼습니다, 그래서 각하께서 다른 모든 일에서와
마찬가지로 이 일에 대해서도 똑같이 품위 있게,
각하의 채무를 주인님께 갚아주실 것을
공손히 간청하는 바입니다.
30 **타이먼** 정직한 친구,
내일 다시 오기를 부탁하네.
카피스 안 됩니다, 각하.
타이먼 그렇게 하라니까.
바로의 하인 저는 바로 님의 하인입니다, 각하.
35 **이시도르의 하인** 이시도르 댁에서 왔습니다.
주인님께서는 즉시 빚을 갚아주실 것을 바라십니다.
카피스 각하께서 우리 주인님이 무엇을 원하시는지 아신다면 . . . .

바로의 하인 차압할 기간의 만기가 벌써 6주나 지났습니다, 각하.

이시도르의 하인 각하의 집사는 자꾸 미루기만 합니다,

그리고 저는 각하를 직접 만나 뵙도록 심부름을 받았습니다. 40

타이먼 숨 돌릴 틈을 좀 주시게.

귀족 여러분께서는 계속 가십시오,

제가 즉각 합류하겠습니다.

[알시비아데스와 귀족들 퇴장]

[플라비어스에게]

이리로 오게, 뭘 좀 보겠네,

세상이 어떻게 되어서 내가 기한을 어긴 채권이니, 45

만기를 오래 지난 빚을 지체한다느니 하는

내 명예를 더럽히는 것들과

마주쳐야 하는가?

플라비어스 제발, 여러분,

지금은 사무를 처리하기에 좋은 때가 아니네. 50

여러분의 요구를 저녁식사 때까지 멈추어주시게,

그러면 내가 왜 부채가 상환되지 않았는지

주인님을 이해시키겠네.

타이먼 그렇게 하시게. 이 사람들을 잘 대접받도록 확실히 하게.

[퇴장]

55 **플라비어스** 자, 저와 같이 갑시다.

[퇴장]

[아페만터스와 어릿광대 등장]

카피스 잠깐, 잠깐, 여기 아페만터스와 함께 어릿광대[38]가 오는구먼.
이 사람들과 장난을 좀 쳐봅시다.

바로의 하인 저놈을 목매달아버려, 우리를 모욕할 거야.

이시도르의 하인 빌어먹을 놈, 개 같으니!

60 **바로의 하인** 어릿광대 양반은 어떻소?

아페만터스 당신들은 그림자하고 이야기하고 있는 거요?

바로의 하인 형씨에게 말하고 있었던 게 아니오.

아페만터스 아니겠지, 당신 자신에게 말하고 있었군.

[어릿광대에게]

자, 가세나.

65 **이시도르의 하인** 당신 등짝에 이미 어릿광대가 매달려 있네요.[39]

아페만터스 아니, 넌 혼자 서 있으니, 아직 등에 있지는 않아.

카피스 지금 그 어릿광대는 어디 있습니까?

아페만터스 어릿광대는 마지막 질문을 한 놈이야. 불쌍한 깡패 놈들,

---

38. fool: 중세의 어릿광대, 바보.

39. 아페만터스를 조롱하는 내용이며, 아페만터스 자신이 광대라는 뜻도 되고, 또 광대가 등에 붙어 추종한다는 의미도 된다. 또한 어릿광대가 등에 붙어 있는 모양을 통해 아페만터스가 동성애적 성향을 가지고 있지는 않은지 놀리는 의미도 포함되어 있다고 볼 수 있다.

대부업자들의 똘마니들! 돈과 빈곤의 포주 놈들![40]

모든 하인들 우리가 누구라고, 아페만터스? 70

아페만터스 바보[41]들이지.

모든 하인들 왜요?

아페만터스 당신들은 내게 당신들이 누군지 물었기 때문에,

당신들은 자신들을 모른다는 것이지. 어릿광대야 저들에게 말 좀 해줘.

어릿광대 안녕하세요, 신사분들? 75

모든 하인들 고맙소, 착한 어릿광대, 근데 당신 마누라는 잘 있소?

어릿광대 안사람은 당신네들 같은 닭을 털을 벗기려고 물을 끓이고 있지.[42]

우리가 코린스에서 만날 수만 있다면![43]

아페만터스 좋아요, 대단히 고맙소.

[시동 입장]

어릿광대 보시오, 여기 내 안사람의 시동이 오는구려. 80

시동 [어릿광대에게] 아니, 어쩐 일입니까, 대장님! 이 현명하신 분들과

뭘하고 계십니까? 안녕하세요, 아페만터스?

---

40. 대부업(usury)은 중세 기독교 사회에서 노력하지 않고 돈이 돈을 만드는 비정상적이고 부도덕한 행위로 간주했다. 이러한 대부업을 통한 이익은 종종 부도덕한 성관계를 통해 태어나는 사생아와 비유되기도 했다.

41. asses: 당나귀, 바보. 중의적 의미로 사용되고 있다.

42. "털을 벗기려고"는 다양한 의미가 중첩되어 있다. 매춘으로 돈을 완전히 갈취하겠다는 의미, 성병을 옮겨 놓아서 피부가 벗겨지게 하겠다는 의미 등이 복합적으로 내재되어 있다.

43. 코린스(Corinth)는 매음굴을 의미한다.

아페만터스 입속에 회초리가 있었더라면, 네놈에게 맞는 대답을 내렸을 텐데.

시동 아페만터스, 이 편지에 쓰인 수취인 주소를 내게 읽어주세요,
85 난 뭐가 뭔지 모르겠거든요.

아페만터스 글을 못 읽느냐?

시동 못 읽어요.

아페만터스 네놈이 교수형에 처해져도, 별로 지식이 없어지지는 않겠구나.
이 편지는 타이먼 공에게, 이것은 알시비아데스에게 가는 것이다.
90 가거라, 네놈은 사생아로 태어나서, 포주로 죽을 것이야.

시동 당신은 암캐 새끼로 나서, 굶주린 개로 죽을 거요.
대답하지 마시오, 나는 가니까.

[퇴장]

아페만터스 이런 식으로 저놈은 은혜로부터도 도망치는구나.
어릿광대야, 난 너와 함께 타이먼 공의 집으로 갈 것이다.

95 **어릿광대** 나를 거기다 버려두려고?

아페만터스 만약 타이먼 공이 집에 있으면. 네놈들은 세 명의
대금업자들을 위해 일하고 있지?

모든 하인들 예, 우린 그 사람들이 우리를 위해 일했으면 해요!

아페만터스 나도 그렇다. 도둑놈이 교수형 집행인을 모시는 것처럼
100 참으로 꾀가 묘하구나.

어릿광대 당신네들이 세 명의 대부업자들의 사람들이요?

모든 하인들 그렇다, 광대야.

어릿광대 모든 대금업자들은 하인으로 어릿광대들을 데리고 있다고 생각

하는데,

내 안사람이 그 대금업자고, 내가 그 여자의 광대지. 사람들이 105
당신네 주인에게 돈을 빌리러 올 때, 슬프게 와서,
기쁘게 떠나지. 그러나 그 사람들은 내 안사람 집에는 기쁘게 와서,
슬프게 떠난다네.[44] 그 이유를 아시는지?

바로의 하인 난 이유를 알 것 같은데.

아페만터스 그럼 이유를 말해봐, 그러면 우린 네놈을 포주에다 110
악당이라고 여길 거야. 그렇다 하더라도, 자넨 더 이상
평이 나빠질 게 없을 걸세.

바로의 하인 포주가 뭔가, 어릿광대 씨?

어릿광대 좋은 옷을 입은 어릿광대지,[45] 형씨들 같이.
그놈은 귀신이야. 때론 영주처럼 나타나고, 115
때론 변호사같이, 때론 연금술사[46] 같이 나타나지.
연금술사의 돌 한 개보다는 돌멩이 두 개를 가지고,[47] 그놈은
종종 기사처럼 보이지. 보통, 그놈은 벌떡 서거나 누운 모습으로[48]

---

44. 사창가에 와서 돈을 쓰고 성병을 얻어가게 되니까 기쁘게 와서 슬프게 떠난다는 의미를 숨기고 있다.

45. "좋은 옷을 입은 어릿광대"는 무대 위의 배우들을 의미하기도 한다. 당시의 배우들은 자신의 신분 이상으로 좋은 옷을 종종 입었으며 이는 대중적 질시와 비난의 대상이 되었다.

46. 원문에는 philosopher로 되어 있는데 "철학자"로 번역하는 것보다 "연금술사"로 번역하는 것이 적절하다.

47. "연금술사의 돌"(artificial one)은 다른 물질을 금으로 바꾸는 마법의 돌이라 믿었다. "돌멩이 두 개"는 "고환"을 의미한다. 결국 모든 물질을 금으로 만드는 연금술사의 돌보다 사람을 잉태시키는 "고환"이 더 낫다는 뜻으로 상대를 조롱하고 있다.

열세 살부터 여든 살까지,[49]

120 이 귀신이 걸어 들어가지.

바로의 하인 형씨도 완전히 바보는 아니야.

어릿광대 당신도 완전히 똑똑한 사람은 아니네 그려. 내가 바보인 양만큼

당신은 같은 양의 현명함을 잃고 있으니.

아페만터스 그 대답은 나한테서 나왔어야 했어.

125 **모든 하인들** 비키세요, 비켜 서, 타이먼 공이 납십니다.

[타이먼과 플라비어스 재등장]

아페만터스 나와 같이 가세, 어릿광대, 가자니까.

어릿광대 난 애인이나, 형이나, 여자를 늘 따라다니진 않아,[50]

때론 철학자를 따라다니거든.

[아페만터스와 어릿광대 퇴장]

플라비어스 곁에서 걸어주십시오, 잠깐 말씀드리겠습니다.

[하인들 퇴장]

130 **타이먼** 자넨 날 놀라게 했어, 왜 일의 상황을

---

48. 남성기가 발기한 상태이거나 발기가 죽은 상태를 나타낸다.

49. 그가 성적으로 상대하는 연령대를 의미한다.

50. 연인, 형, 여자의 마음에는 바보의 어리석음이 이미 자리 잡고 있으므로 따라다닐 필요가 없다는 것을 의미한다.

좀 더 일찍 설명하지 않았나?
그랬으면 난 내 수입에 따라 지출을
맞추었을 텐데.

플라비어스 각하께선 듣지 않으셨습니다,
제가 수없이 말씀드렸지만. 135

타이먼 이런,
자넨 내가 기분이 나빠 자네를 물리쳤을 때,
아마 한두 번은 그래 봤겠지,
그리고 자넨 나의 불가피한 상황을
다시 보고하지 못한 변명으로 삼은 것이야. 140

플라비어스 오, 주인님,
얼마나 여러 번 제가 주인님께 회계장부를 가져가서,
주인님 앞에 놓았다고요. 주인님께서는 장부를 밀쳐버리시면서
저의 정직함을 믿는다고 말씀하셨습니다.
별것 아닌 선물에 많은 보답을 하라고 말씀하셨을 때, 145
저는 머리를 흔들고 흐느꼈습니다.
예법에 반하더라도 저는 낭비를 줄이시길
주인님께 간청했습니다. 저는 잦은 질책을
참아야만 했습니다, 제가 주인님께
주인님의 생활상태가 돈이 고갈되고 있고, 150
얼마나 많은 빚이 쌓이고 있는지를 말씀드릴 때. 사랑하는 주인님,
비록 지금 제 말을 듣는 것이 늦었기는 하지만, 그러나
지금이라도 말씀드립니다.

주인님께서 가지신 모든 재산도

155 주인님의 진 빚의 반도 갚지

못하실 겁니다.

타이먼 내 모든 땅을 팔게.

플라비어스 모두 저당 잡혀 있고, 일부는 압류되거나 넘어갔습니다.

남아 있는 것으로는 지금 만기가 닥친 빚을

160 거의 막지 못할 것입니다. 앞으로의 일도 곧 닥칩니다.

그 사이에 어떻게 살아야 하겠습니까? 장기적으로

어떻게 판단하고 계십니까?

타이먼 내 땅은 멀리 래시디먼[51]까지 뻗쳐있지 않나.

플라비어스 오, 주인님, 이 세상도 단지 말 한 마디입니다.

165 그 모든 것도 한 숨결에 주어버리는 것입니다.

얼마나 재빠르게 그 땅이 넘어가버렸는지!

타이먼 네가 옳다.

플라비어스 만약 주인님께서 저의 살림살이 능력이나 거짓을

의심하신다면, 가장 엄밀한 회계사를 호출하셔서

170 저를 조사해보도록 하십시오. 신께 맹세합니다만,

우리 하인들 모두가 떠들썩한 연회에 혼이 빠져 있을 때,

포도주 저장고가 술 취해 엎질러진

와인으로 질퍽할 때, 방마다 불빛이 휘황찬란하고

악사들로 빼곡했을 때,

175 저는 짚으로 된 침대로 물러가서,

---

51. 래시디먼(Lacedaemon)은 스파르타에 있는 지역이다.

눈물을 흘렸습니다.

타이먼 제발, 그만해라.

플라비어스 하늘이시여, 저는 주인님의 선심에 대해 말씀드렸습니다!
오늘밤 얼마나 많은 진수성찬을 노예들이나 농부들이
먹어치웠는지! 누가 타이먼 공을 사랑하지 않겠습니까? 180
그 어떤 마음이, 머리가, 칼이, 힘이, 재산이 타이먼 공에게
헌신하지 않겠습니까?
위대한 타이먼 공이시여, 고귀하고, 훌륭하시고, 왕자와도 같은
티이먼이시여! 이런 칭찬을 살 수 있는 돈이 없어져버렸을 때,
이런 칭찬을 했던 숨소리들도 사라져버리는 것입니다. 185
연회로 얻은 것은 배고프면 없어지는 것입니다. 만약 겨울 구름이
한바탕 소나기를 몰고 오면, 이 파리 떼들은 죄다 떠나게 됩니다.

타이먼 자, 내게 설교는 그만해라.
난 여태 악한 선심을 써본 적은 없다.
현명하지 못하게 준 것이지, 비천하게 주지는 않았다. 190
왜 흐느끼느냐? 너는 정말로 내게 친구들이 없을 거라
믿느냐? 안심하거라.
내 사랑의 뱃머리를 돌려서,
친구들의 약속들을 시험해보자꾸나.
내가 네게 마음대로 시킬 수 있는 것과 같이 쉽게 195
그 사람들이 나를 위해 봉사하게 만들 수 있어.

플라비어스 그것이 사실로 드러나길 빕니다!

타이먼 그러면, 한편으론, 나의 어려움이 영예로운 것이어서,

나는 그것을 축복으로 여기지. 이런 방법으로
200 나는 내 친구들을 시험해볼 걸세. 자넨 자네가 내 재산에
대해 얼마나 잘못 생각하고 있는지 알게 될 것이야.
나는 친구들 속에서 부유하단 말이야.
이봐 거기! 플라미니어스! 세빌리어스!

[플라미니어스, 세빌리어스, 그리고 다른 하인들 입장]

하인들 주인님? 주인님?
205 **타이먼** 너희들을 여러 곳에 심부름을 보내겠다. 넌 루시어스 공에게,
넌 루컬러스 공에게로 가라. 난 오늘 그분들과 사냥을 했어.
넌 셈프로니어스에게로 가라. 그분들에게 나의 감사를 전하고,
자랑스럽게도 현금 흐름을 위해 내가 그분들에게 기댈 기회를
발견하게 되었다고 말해라. 그분들에게
210 오십 탈렌트를 달라고 부탁해라.
플라미니어스 말씀하신 바대로 하겠습니다, 주인님.
플라비어스 [방백] 루시어스와 루컬러스 공이라고? 흠!
타이먼 넌 원로원 의원들에게 가거라.
내가 국가의 최상의 상황을 이해한 일이 있으니,
215 내 말을 들어줘야 할 것이다. 의원들에게
천 탈렌트를 내게 보내달라고 부탁해라.
플라비어스 감히 말씀드립니다.
그분들에게는 주인님의 인장과 이름을 제가 사용하는 것이
보통 해온 방식이라는 것을 알기 때문에,

하지만, 그분들은 악수를 했으나, 갈 때나 마찬가지로 220
돈을 빌리지 못하고 돌아왔습니다.

타이먼 그게 사실이냐? 그럴 리가 있나?

플라비어스 그분들은 모두 한목소리로 대답하시길,
지금은 경기가 나쁜 데다, 재물이 부족해서 해야 할 일을
할 수가 없다, 미안해하면서, . . . 주인님을 존중한다고, . . . 225
하지만 그분들이 소망할 수만 있다면, . . . 그들은 모른다고,
뭔가 형편이 나빠서, . . . 고결한 성품도 창녀를 찾을 수 있지,
. . . 모든 게 잘 되었으면, . . . 참 안됐어, . . .
그래서 다른 심각한 문제들을 고려하면서,
싫은 표정을 짓고, 냉정한 말들을 주절거린 후에, 230
모자를 반쯤 벗고 냉정하게 고개를 끄덕이기에,
저는 아무 말도 못하고 얼어붙어버렸습니다.

타이먼 신이시여, 그들에게 보답을 내리소서!
제발 힘을 내보이자고. 이 늙은 놈들은
배은망덕을 유산으로 물려받은 자들이야. 235
그놈들의 피는 떡처럼 엉키어, 차갑게 식어서, 거의 흐르질 않지.
인정스러운 따뜻함이 없으니, 그놈들이 친절하지 않은 거야.
다시 흙으로 돌아갈 때가 다가오니 성품도
저승여행을 준비하게 되니까 멍청하고 굼뜨게 되는 거지.
[하인에게]
벤티디어스에게 가거라. 240
[플라비어스에게]

슬퍼하지 말거라.
넌 진실하고 정직하다, 내 말하지만.
너는 비난을 받을 게 없다.

[하인에게]

벤티디어스는 최근에 부친상을 당했다, 아버지가 돌아가셔서
245 그는 대단한 재산을 상속받았어. 그가 가난하고,
감옥에 갇혔을 때, 친구가 거의 없었지,
난 5 탈렌트를 지불해서 그의 부채를 탕감시켰어. 그를 환대했지.
친구가 경제적으로 시달리고 있는 것을
생각해보라고 그 친구에게 부탁해보게.
250 5 탈렌트를 기억해주기를 갈망한다고.

[하인 퇴장]

[플라비어스에게]

그 돈이 오면, 만기일이 닥친 이 사람들에게 주게.
친구들과 함께 있으니 타이먼의 재산이 몰락할 수 있다고
말하지도 생각하지도 말게.

플라비어스 생각하지 않으려 합니다. 생각은
255 선심의 적이잖습니까.
막 퍼주니까, 다른 모든 사람들도 그러리라 생각하니까요.

[퇴장]

3막

1장

루컬러스의 저택의 방

[플라비어스가 기다리고 있다. 그에게로 하인이 입장]

하인 주인님께 당신에 대해 말씀드렸습니다. 주인님께서 오실 겁니다.

플라비어스 고맙소.

[루컬러스 입장]

하인 주인님께서 여기 오십니다.

루컬러스 [방백] 타이먼 공의 사람 아닌가? 선물이

5 틀림없어. 그렇지, 맞았어. 어젯밤에 은제 세숫대야와

물주전자 꿈을 꾸었어. 플라비어스, 정직한

플라비어스, 정말로 환영하네.

와인을 좀 따라 내어라.

[하인 퇴장]

이 아테네의 영예롭고, 완벽하시면서, 너그러우신

10 신사이신 자네의 관대한 주인님은

안녕하신가?

플라비어스 아주 건강하게 지내십니다.

루컬러스 그분의 건강이 좋으시다니 아주 기쁘군. 그리고
잘생긴 플라비어스, 자네의 외투 밑에 있는 그건 무엇인가?

플라비어스 정말로, 아무것도 아닌 빈상자일 뿐입니다. 15
주인님을 위해 저는 나리께서 이 상자를 좀 채워주시길
부탁하러 왔습니다. 저희 주인님은 오십 탈렌트가 필요한
아주 다급한 상황에 처해있습니다. 나리의 즉각적인
도움을 조금도 의심치 않으시면서 돈을 마련하기 위해
저를 나리께 보냈습니다. 20

루컬러스 하 하 하 하! "의심하지 않고"라고 말씀하셨나? 이런,
정말 좋은 각하이며, 고귀한 신사분이시야, 만약 그렇게 좋은
집을 지니지 않으셨다면. 아주 자주 나는 그분과 식사를
했고, 그것에 대해 말했지. 그분께 소비를 줄이라고 말하기 위해
다시 저녁식사를 하러 그분께 가기도 했네. 그러나 그분은 25
내 충고를 수용하지 않았고, 내가 찾아가서 한 경고도
받아들이지 않았지. 모든 사람은 잘못을 가지고 있어, 그분의
잘못은 정직하다는 것일세. 난 그걸 말씀드렸지만, 그분은
한 번도 그걸 듣지 않으셨어.

[와인을 가지고 하인 재등장]

하인 주인님, 여기 와인이 있습니다. 30

루컬러스 플라비어스, 난 자네가 항상 현명하다고 알고 있네.
여기 와인을 받게.

플라비어스 각하께선 기분이 좋으시군요.

루컬러스 난 항상 자네의 온순하고 싹싹한 성품과

35 이성적인 일처리를 관찰해왔네, 이건 자네에게 주는

것이네. 기회를 잘 활용해보게, 만약 기회가 자네를

활용한다면. 자네가 가진 좋은 점들 말일세.

[하인에게]

이봐, 저리 좀 가 있어.

[하인 퇴장]

좀 더 가까이 다가오게, 착한 플라비어스. 자네의 주인은

40 부유하고 너그러운 신사일세. 그러나 자넨 현명한 친구야,

비록 내게 오긴 했지만, 지금은 돈을 빌려줄 시기가 아니란 걸

충분히 잘 알고 있을 거야, 특히 담보도 없이 달랑 우정 하나 믿고.

여기 얼마 안 되지만 자네에게 주는 돈이네. 자넨 착한 친구야,

못 본 척 눈감아주게.

45 그리고 나를 못 만났다고 말해주게. 잘 가시게.

플라비어스 세상이 이렇게 달라진다는 게 가능하단 말인가.

지금 살아있는 우리가 그렇게 살았던가? 약고, 빌어먹을 천박함이야.

이건 당신을 숭배하는 치들에게나 줘버려!

[그 돈을 뒤로 내던진다.]

루컬러스 허! 이제 보니 자넨 바보야, 자네 주인에게 맞춤일세.

[퇴장]

플라미니어스 이 돈은 네놈을 지옥에서 삶는 데 보태라! 50
녹은 동전이 네놈의 천벌이 되어라,
네놈은 진정한 친구가 아니라 친구의 질병이다!
우정이란 게 그렇게 미미하고 혼탁한 마음이냐
이틀도 지나기 전에 변하는? 오, 신이시여,
나는 우리 주인님의 분노가 느껴지는구나! 55
명예로운 척하는 이 노예 같은 놈은 뱃속에
우리 주인님의 고기가 가득 차 있구나.
이놈이 악독한 독약으로 변했을 때,
왜 그 고기가 네놈을 살찌워야 하느냐?
오, 이놈이 역병에 걸리게 하소서! 60
이놈이 병들어 죽을 때, 주인님께서 비용을 댄
몸의 어떤 부분도 병을 몰아내지 못하게 하고
그의 고통의 시간을 연장하게 하소서!

2장

공공장소

[루실리어스와 세 사람의 외지인이 등장]

루실리어스 누구, 타이먼 공이라고? 그분은 나의 아주 좋은 친구이며,
명예를 아는 신사다.

이방인1 우리가 비록 그분에게 낯선 사람들이지만, 우리도 그분을 그렇게
알고 있습니다. 하지만 각하 제가 들은 공통된 소문들 중에서
5 하나는 말씀드릴 수 있습니다. 지금 타이먼 공의
행복한 시절은 끝나서 과거지사가 되었고, 그의 재산은
쪼그라들었다고요.

루실리어스 말도 안 되는 소리, 그걸 믿지 마시게. 그분을 돈을 필요치 않네.

외지인2 하지만 각하께선 이 사실을 아셔야 합니다. 얼마 전에,
10 타이먼 공의 사람들 중 하나가 많은 돈을 빌리기 위해
루컬러스 공을 찾아 갔답니다. 실제로 그 사람은 대단히 애걸복걸했고,
사정이 얼마나 다급한지 말했답니다. 그런데 거절당했다는군요.

루실리어스 뭐라!

이방인2 말씀드립니다만 각하, 그 사람은 거절당했답니다.

15 **루실리어스** 그게 무슨 이상한 경우냐! 신들 앞에서,
나는 그 일에 대해 수치스럽구나. 그렇게 명예로운 분이 거절당하다니!

그것은 정말로 불명예스러운 행위다. 내 경우에서 보자면,
난 그분으로부터 돈, 접시, 보석 같은 그런 사소한 물건과
같이 작은 친절을 받았다고 고백하지 않을 수 없어.
그러나 루컬러스에 비하면 아무것도 아니지, 20
그러나 만약 그분이 사람을 잘못 봐서 내게 보냈다면,
나는 그분이 필요로 하는 그 돈을 절대로 거절하지 않았을 거야.

[세빌리어스 등장]

세빌리어스 보라, 다행스럽게도, 각하께서 저기 계시는구나.
난 그분을 급히 만나 뵈어야 해. 각하.

루실리어스 세빌리어스! 잘 만났군요. 잘 가시게. 25
나의 훌륭한 친구이자, 자네들의 영예롭고 후덕한 주인께
내 인사를 전해주게.

세빌리어스 실례합니다, 제 주인님께서 보내셨습니다.

루실리어스 이런! 그분이 무엇을 보내셨나? 나는 그분에게
너무나 많은 사랑을 받았지, 그분은 항상 보내기만 하시지. 내가 30
어떻게
그분께 감사해야 하는지 자넨 아는가? 이번에는 무얼 보내셨나?

세빌리어스 주인님께서는 주인님의 현재 용무만 보내셨습니다.
각하께서 주인님께 급하게 50 탈렌트를 좀 융통해주시기를
부탁하셨습니다. 35

루실리어스 나는 각하께서 내게 장난으로 이러는 것을 안다.
그분이 50 탈렌트가 없을 리가 없어.

세빌리어스 하지만 한편으론 주인님은 그보다 더 적은 돈도 필요로 하십니다.
만약 이 일이 도리에 맞는 일이 아니라면,
40 이 반만큼도 성실하게 부탁하지 않았을 것입니다.

루실리어스 진정으로 말하고 있느냐, 세빌리어스?

세빌리어스 제 영혼에 두고 맹세합니다. 사실입니다.

루실리어스 내가 얼마나 명예로울 수 있는지 보여줄
이런 좋은 기회에 내 자신을 준비시키지 못했다니,
45 나는 얼마나 사악한 짐승이냐! 바로 어제 내가 자그마한
용무에 돈을 투자해버렸고, 그래서 이렇게 영예로운 일을
할 수 없다니 얼마나 불행한가! 세빌리어스, 지금
신 앞에서 맹세하지만 난 어떻게 할 도리가 없네
(내가 정말 짐승이라 말하지 않았나) 나는 타이먼 공에게
50 돈을 빌리기 위해 사람을 보내려던 참이었네. 이 사람들이
증인들이야! 그렇게 하지 않기 위해서라면 난 아테네의
모든 재산이라도 줄 수 있어. 바라건대 각하께서
내 선한 마음을 알아주셨으면 합니다, 왜냐하면
저는 각하를 도울 아무런 힘도 없기 때문입니다, 제 사정을
55 말씀드려주십시오, 그렇게 명예로운 신사분을
도울 수 없다는 것이 참으로 커다란 유감이라고요.
착한 세빌리어스 각하에게 제 말이 그대로 전해지도록
부탁을 좀 들어주겠소?

세빌리어스 예, 그렇게 하겠습니다.

60 **루실리어스** 자네에게 좋은 기회를 살펴봄세, 세빌리어스.

[세빌리어스 퇴장]

방금 이야기한 것처럼, 타이먼은 몰락했어,
일단 한번 무너지면 다시 성공하긴 어렵지.

외지인1 이 광경을 보셨습니까, 호스틸리어스?

외지인2 예, 너무나 잘.

외지인1 어유, 이게 바로 세상인심이지. 모든 아첨꾼들이 65
똑같은 성향을 가졌다니까. 같은 접시로 음식을
나누었다고 해서 누가 그 사람을 친구라고 부를 수 있겠어?
내가 알기론, 타이먼 공은 저 사람의 아버지 같았네,
자기 돈을 들여 저 사람의 신용을 지켜주고,
재산도 지탱하게 해주었지. 뿐만 아니라, 그 사람의 70
하인들의 봉급까지 타이먼 공의 돈으로 주었지.
타이먼 공의 은 술잔에 담긴 술이 없었다면,
그 자는 술 한 방울 마시지 못했을 걸세.
사람이 배은망덕한 모습을 보일 때,
오! 보시오 저 인간의 추악함을! 75
그의 재산을 감안한다면, 자선가가 거지에게
줄 수 있는 그만한 정도의 돈을 그가 거절한 겁니다.

외지인3 종교가 이런 일에 신음하겠어.

외지인1 내 경우엔,
살면서 한 번도 타이먼 씨를 경험해보질 못했어, 80
한 번도 그분의 후한 선물을 받은 적이 없으니

친구가 되지 않았어, 하지만 맹세컨대,
그분의 올바르고 고귀한 정신과 빛나는 도덕과
명예로운 행동을 위해,
85 그분의 곤궁한 처지가 나를 필요로 한다면,
난 내 재산을 기부해서 내놓겠네,
그리고 그 재산의 대부분을 그분에게 돌아가게 하겠네,
나는 그분의 마음을 너무나 사랑하기 때문에. 그러나
저는 사람들이 요즘 반드시 배워야 할 것은 동정하는 것을
90 버리는 것이라고 알고 있습니다,
왜냐하면 교활함이 양심을 이기기 때문입니다.

[퇴장]

3장

셈프로니어스 저택의 방

[셈프로니어스와 타이먼의 하인 입장]

셈프로니어스 그가 나를 곤란하게 해야만 한단 말인가?
흠! 다른 사람들보다도?
아마도 루시어스 공과 루컬리스에게 부탁했으면
좋으련만, 그리고 벤티디어스도 역시 부자잖아,
타이먼 공은 그를 감옥에서 구해줬고, 이 사람들 모두는 5
타이먼 공 덕택에 재산을 모았어.

하인 각하,
그분들 모두에게 부탁을 해보았지만, 모두 진실하지 못했습니다.
그분들은 모두 타이먼 공의 부탁을 거절했습니다.

셈프로니어스 어떻게 그런! 그들이 거절했다고? 10
벤티디어스와 루컬러스가 타이먼 공을 거절했다고?
그래서 내게 사람을 보냈단 말인가? 세 사람이? 흠!
이것은 타이먼 공이 나를 그리 사랑하지 않는다는 것을 보여주는군.
내가 그분의 마지막 피난처가 되어야만 하다니!
외과 의사들과 같이 15
부자가 된 그의 친구들은 그를 포기해버리고,[52] 내가 그 치료를 말아야 하나?
이 일은 나를 모욕하는 것이야, 난 그에게 화가 났어,
그 일이 내 위치를 알려주는군. 난 모르겠어,
20 그런 경우에 왜 내게 먼저 부탁을 하지 않았는지.
왜냐하면, 내 양심으론, 내가 그로부터 선물을 받은
첫 번째 사람이기 때문이지.
이제 그분이 나를 맨 뒤로 생각해서,
내가 마지막으로 보답을 하게 된다고? 안 되지.
25 이것은 다른 사람들에게 웃음거리가 되는 것이야,
그리고 다른 귀족들 가운데서 내가 바보로 여겨질 거야.
만약 내게 처음으로 사람을 보냈었다면,
그가 언급한 액수의 세 배를 냈을 거야. 내가 그분을 좋아하기 때문에,
그분을 도울 용기가 있어요. 그러나 난 자네를 되돌려 보내야겠어,
30 거기다 그분이 이미 받은 도움이 안 되는 대답에 이 대답을 더해야겠어.
만약 내 명예를 모욕한다면, 내 돈을 얻지 못할 것이라고.

[퇴장]

하인 대단해! 각하는 훌륭한 악당이세요.
악마가 사람을 교활하게 만들 때, 그 악마도 저 사람이 한 짓을

---

52. "부자가 된 외과 의사들은 환자를 포기한다."(Physicians enriched give over their patients.)라는 속담에서 나온 대사다. 외과 의사들이 다른 사람의 신체의 일부를 절단함으로써 부자가 되는 상황을 두고 만들어진 속담이다.

몰랐어. 저놈은 스스로 자기 자신을 배반하는구나. 결국에는 35
인간의 악행이 이놈을 명백히 드러낼 것이라고 생각할 수
밖에 없어. 이 사람은 얼마나 명백하게 사악한 모습이 되려고
노력하는지! 마치 뜨거운 열정에 불타는 놈들이
온 나라를 불질러버리는 것처럼,[53] 사악하게 되기 위해
도덕의 껍데기를 뒤집어쓰는구나. 그런 본성이야말로 40
그의 간교한 사랑이지.
이것이 우리 주인님의 최선의 희망이었는데, 이제 모두 달아났구나.
신들만이 구원할 수 있어. 이제 그분의 친구들은 죽어버렸고,
풍족했던 여러 해 동안 고용해놓기만 하고 문지기가
누군지 알지도 못했지만, 이제 문들은 그들의 주인들을 45
굳건히 지키고 있지.
이 모든 것이 방탕한 결과로구나,
지킬 재산이 없는 사람은 집이라도 지켜야겠지.

[퇴장]

---

53. 종교적 열성주의자들이 반대세력을 폭탄으로 제거하려고 했던 당시의 사건들과 연관이 있는 내용이다. 1605년 제임스 1세를 폭탄으로 살해하려 했던 가톨릭 세력의 음모를 상기시키는 내용이기도 하다.

4장

같은 장소. 타이먼 저택의 거실.

[바로의 하인 두 명과 루시어스의 하인 입장. 타이터스, 호텐시어스, 그리고 다른 타이먼의 채권자의 하인들이 만나 타이먼이 나오기를 기다리고 있다.]

바로의 하인1 잘 만났습니다. 안녕하십니까, 타이터스 씨, 호텐시어스 씨.

타이터스 그러신 것 같군요, 친절한 바로 씨.

호텐시어스 루시어스 씨!

허 참, 우리가 함께 만난 겁니까?

5 **루시어스의 하인** 예, 제 생각엔

하나의 용건이 우리 모두를 불러모았군요.

저의 용무는 돈입니다.

타이터스 저들이나 우리들 용건도 같습니다.

[필로터스 등장]

필로터스 일단은, 안녕하십니까?

10 **루시어스의 하인** 환영합니다.

시간이 어떻게 됐을까요?

필로터스 아홉 시가 되려고 하고 있군.

루시어스의 하인 벌써 그렇게?

필로터스 각하를 아직 뵙지 못했나?

루시어스의 하인 아직 못 뵈었습니다. 15

필로터스 궁금하군요, 그분은 버릇처럼 일곱 시에 얼굴을 비치는데요.

루시어스의 하인 예, 하지만 하루하루 날들도 그분과 함께 줄어든 게죠.

방탕한 과정도 태양과 같다는 것을 아셔야 해요,

그러나 그분의 것은 회복되진 않아요.

타이먼 공의 지갑이 깊은 겨울인 것이 염려돼요, 20

즉, 그 지갑 깊숙이 누군가 뒤져본들,

발견할 게 거의 없을 거예요.

필로터스 나도 네 걱정과 같다.

타이터스 이상한 상황을 어떻게 봐야 하나 보여드리죠.

당신들 주인들이 돈 때문에 당신들을 보낸 거죠. 25

호텐시어스 그렇습니다.

타이터스 그 주인은 타이먼 공의 선물인 보석을 두르고 있고,

그 때문에 나는 돈을 받으려 기다리고 있고.

호텐시어스 내 진심과는 다릅니다만, 그렇습니다.

루시어스의 하인 보세요, 얼마나 이상한지를, 30

이 경우 타이먼 공은 빚진 이상을 갚아야 해요.

그리고 여러분의 주인은 보석을 몸에 두른 채,

그 보석의 값을 받아오라고 사람을 보낸 셈이에요.

호텐시어스 난 책임을 맡은 이 일에 짜증이 납니다, 신들이 증언하실 겁니다.

저는 제 주인님이 타이먼 공의 재산을 갉아 먹었다는 것을 압니다. 35

그리고 지금 배은망덕이 도둑질보다 상황을 나쁘게 해요.

바로의 하인1 예, 제 책임은 삼천 크라운입니다. 당신네는 얼맙니까?

루시어스의 하인 내 것은 오천이요.

바로의 하인1 그건 아주 깊은데, 총액에 의하면 당신네 주인의 신용이

40 우리 주인님 것보다 위에 있었군.

이외에는 확실히 우리 주인님의 것과 같았을 것이야.

[플라미니어스 등장]

타이터스 타이먼 공의 사람들 중 하나군.

루시어스의 하인 플라미니어스! 한 마디만. 제발, 각하께선

나오실 준비가 되었습니까?

45 **플라미니어스** 아니오, 사실, 그분은 준비가 되지 않았습니다.

타이터스 우리는 각하를 기다리고 있습니다, 제발 간절히 전해주세요.

플라미니어스 제가 주인님께 그것을 말씀드릴 필요가 없습니다, 각하는

여러분이 너무 성실하다는 것을 아세요.

[플라미니어스 퇴장]

[플라비어스 등장, 외투를 입고 목도리를 두르고 있다.]

루시어스의 하인 하!! 저렇게 목도리를 두른 것이 그의 집사가 아닌가?

50 구름 속으로 사라져요, 그를 부르세요, 불러요.

타이터스 선생, 우리 소리가 들립니까?

바로의 하인2 실례합니다만.

플라비어스 무슨 일로 부르시나요, 여러분?

타이터스 우리는 돈을 기다리고 있지요.

플라비어스 예, 55

만약 돈이 여러분이 기다리는 것처럼

확실하다면, 틀림이 없겠죠.

그러면 왜 당신들은 돈의 총액과 차용증을 주장하지 않았나요,

당신들의 거짓된 주인들이 우리 주인님의 고기를 처먹고 있을 때?

그때 그 사람들은 그의 빚에도 미소를 지으며 아양을 떨면서, 60

그 이자까지 게걸스러운 목구멍으로 쑤셔 넣더니.

나를 열 받게 하면 당신들에게 좋지 않아.

조용히 지나가게 해주시오.

믿어주시오, 우리 주인님과 나는 끝났습니다.

나는 더 이상 계산할 것도 없고, 65

주인님도 쓸 돈이 없어요.

루시어스의 하인 예, 하지만 그 대답은 적당치 않아요.

플라비어스 만약 이 대답이 소용없다면, 이 대답은 악당에게

봉사하는 네놈들만큼 천박하지는 않아.

[퇴장]

바로의 하인1 뭐라! 저 자리에서 쫓겨난 놈이 뭐라 지껄이는 거야? 70

바로의 하인2 뭐라고 해도 상관없다, 그놈은 가난하고, 그게 바로

충분한 복수지. 누가 머리 하나 들이밀 집 하나 없는 그놈보다

더 큰소리 칠 수 있겠소? 그런 놈이야말로 큰 건물에다가도

욕을 퍼부을 수 있지.

[세빌리어스 입장]

75 **타이터스** 오, 여기 세빌리어스가 오는구먼, 이제 해답을 좀 알 수 있겠어.

세빌리어스 만약 제가 여러분에게 다른 시간을 내주십사
간청할 수 있다면, 저는 많은 위안을 얻겠습니다. 왜냐하면,
제 마음으로 느끼기엔, 주인님께서 대단히 불편해하십니다.
그분의 평온한 성품이 충격을 받아, 건강을 많이 상하셨습니다.
80 그래서 방에 틀어박혀 계십니다.

루시어스의 하인 방에 박혀 있어도 아프지 않는 많은 사람들이 있어요.
그리고 만약 건강이 그렇게 좋지 않으시다면,
제 생각엔, 댁의 주인께서 빚을 더 빨리 갚아서,
저승 가는 길을 깨끗이 정리해야 해요.

85 **세빌리어스** 신이시여!

타이터스 우린 이것을 대답으로 볼 수 없습니다.

플라미니어스 [안에서] 세빌리어스! 도와주게! 주인님! 주인님!

[분노에 찬 타이먼 등장, 플라미니어스가 따른다.]

타이먼 뭐야! 우리 집 문들을 내가 드나들지 못하게 하는 거냐?
난 늘 자유로웠어, 그리고 내 집이 나를 가두는 적인
90 감옥이 되어야 하느냐?
연회를 벌였던 이 장소가 이제는 모든 인간들처럼
내게 차가운 쇠붙이 심장이 되었단 말이냐?

루시어스의 하인 타이터스 씨, 지금 요구하세요.

타이터스 각하, 여기 청구서가 있습니다.

루시어스의 하인 여기 제 청구서도요, 각하. 95

호텐시어스 제 것도, 각하.

바로의 두 하인들 우리들 것도, 각하.

필로터스 모두가 저의 청구서입니다.

타이먼 그 청구서들로 나를 후려쳐라, 내 허리띠까지 나를 쪼개라.

루시어스의 하인 이런, 각하. . . . 100

타이먼 총액만큼 내 심장을 잘라내라.

타이터스 제 것은 오십 탈렌트입니다.

타이먼 내 피로 계산해라.

루시어스의 하인 오천 크라운입니다, 각하.

타이먼 내 피 오천 방울로 갚겠다. 105

네 건 뭐냐? 그리고 네 것은?

바로의 하인1 각하 . . . .

바로의 하인2 각하 . . . .

타이먼 나를 쪼개서 가지고 가라, 그리고 신들이 네놈들을 찾을 거야!

[퇴장]

호텐시어스 참으로! 우리 주인님들은 돈을 날려버릴 수도 있겠군. 110

이 빚은 가망이 없는 빚이 되겠어, 왜냐하면 미친 사람이

주인님들에게 빚을 졌기 때문이지.

[퇴장]

[타이먼과 플라비어스 다시 입장]

타이먼 저놈들은 내가 숨도 못 쉬게 하네, 노예 놈들.
채권자들이라고? 악마들이야!

115 **플라비어스** 존경하는 주인님. . . .

타이먼 만약 그렇게 한다면 어떨까?

플라미니어스 각하 . . . .

타이먼 그렇게 되도록 해야겠어. 집사!

플라비어스 여기 있습니다, 주인님.

120 **타이먼** 마침 있었군! 가서 나의 모든 친구들을 다시 불러모아라.
루시어스, 루컬러스, 그리고 셈프로니어스,
모두 다 가거라.
나는 다시 그 파렴치한들에게 잔치를 베풀겠다.

플라비어스 오, 주인님!

125 정신이 나가셔서 말씀하시는 겁니다.
소박한 상을 차려낼 정도의 돈도
없습니다.

타이먼 네가 걱정할 게 아니다. 가거라.
내 명령하노니 그들 모두를 초대해라. 그 악당 놈들의

130 떼거리를 다시 한 번 더 불러들여라. 내 요리사와
내가 모든 걸 제공하겠다.

[모두 퇴장]

5장

같은 장소. 원로원. 의원들이 앉아 있다.

의원1 의원님, 그것에 대한 제 발언을 들으셨습니다. 그 범죄는
잔혹합니다. 그를 사형시키는 것이 마땅합니다.
자비처럼 죄를 대담하게 만드는 것은 없습니다.

의원2 정말 그렇습니다. 법이 그를 처벌할 겁니다.

[종자를 동반한 채 알시비아데스 등장]

알시비아데스 의원님들께 명예와 건강과 관용이 깃드시길. 5

의원1 무슨 일이요, 장군.

알시비아데스 저는 의원님들의 도덕에 겸손하게 호소합니다.
왜냐하면 연민은 법의 덕목이기 때문에,
오직 폭군들만이 법을 잔인하게 사용합니다.
제 친구가 뜨거운 혈기로 법을 어겼는데, 10
그 일은 시간과 운명을 기쁘게 하지요.
조심성 없이 법에 뛰어드는 사람에게
법은 수렁 이상의 것이지요.
그의 불운을 제쳐두고 본다면, 그는
아름다운 덕을 지닌 사람입니다. 15

그는 비겁으로 진실을 더럽히지 않았습니다, . . .
그 친구가 지닌 명예가 그의 잘못을 사합니다. . . .
그러나 고귀한 분노와 아름다운 정신을 지니고,
그의 명예가 죽어가는 것을 보았기 때문에
20 그는 적들과 대항했던 것입니다.
그렇게 차분하고 눈에 드러나지 않는 열정을 가지고
그는 화를 내기 전에 자신의 분노를 잘 다스렸습니다,
마치 그가 단지 자신의 주장을 증명하려는 것처럼.

의원1 추한 행동을 아름답게 보이게 만들고자 애쓴 나머지,
25 당신은 역설을 너무 심하게 하시는군요,
당신의 말씀은 마치 살인자를 그럴듯하게 꾸며
최고의 용기인 것처럼
애를 쓰고 있어요.
그건 사실 무리지어 떼거리일 때나
30 생겨나는 허접스런 용기지요.
진정으로 용기 있는 사람은 사람들이 자신에게 말하는
최악의 욕을 현명하게 견디고, 모욕을
밖으로 드러내어 마치 외투처럼 무심하게 걸쳐 입죠.
그리고 절대로 그 본심에 상처를 입지 않고,
35 위험에 빠지게 하지는 않죠.
만약 잘못이 우리를 죽이는 악이라면,
그 잘못 때문에 우리의 목숨을 위태롭게 하는 게
얼마나 어리석은 일인지!

알시비아데스 각하 . . .

의원1 자넨 끔찍한 죄악을 무죄로 보이게 만들 수는 없어. 40

복수하는 것이 용기가 아니라 참는 것이 용기지.

알시비아데스 귀족 여러분, 실례합니다만 만약 제가

군인처럼 말하더라도 용서해주십시오.

남자들은 위협을 참지 않고 왜 전쟁을 하려 할까요?

왜 하룻밤 자고 생각하지 못하고, 저항하지 않고 적들이 조용히 45

자신들의 목을 따도록 내버려두지 않을까요? 만약

참는 것 속에 그런 용기가 있다면, 우린 밖에서 무엇을

하고 있는 겁니까? 그렇다면, 만약에 참는 것이 현명한

것이라면, 참으면서 집에 머무르고 있기 때문에

여자들이 더 용감하고, 50

사자보다는 당나귀가 더 용감한 군인이고,

쇠사슬에 묶인 죄인이 재판관보다 더 현명하지요.

오, 귀족 여러분, 여러분이 위대하신 것처럼,

동정을 통해 선함을 보여주십시오.

누가 냉혹하게 저지른 범죄를 비난 못하겠습니까? 55

살인이 모든 죄 가운데 최악이라는 데 동의합니다.

하지만 방어를 하다 그렇게 되었다면, 법도 자비롭게

허용할 겁니다. 분노하는 것은 훌륭하지 못합니다.

그러나 성내지 않는 사람이 어디 있습니까?

그와 같은 죄에 대해 숙고해주십시오. 60

의원2 당신의 말은 아무 소용없어요.

알시비아데스 소용없다니요! 래시디먼[54]과 비잔티움[55]에서

그분이 행하신 업적은

그분의 목숨을 구하기에 충분합니다.

65 **의원1** 그 업적이 뭐요?

알시비아데스 귀족 여러분,

저는 그분이 훌륭한 공훈을 세웠다는 것을 말씀드립니다.

그리고 전투에서 여러분의 수많은 적들을 죽였습니다.

지난 전쟁에서 그분이 얼마나 용맹스러웠던지,

70 많은 상처를 입기까지 했습니다.

의원2 그 사람은 그런 일들을 너무 심하게 했어요.

그는 욕설이 심한 난폭한 사람이요. 그는 죄악에

흠뻑 빠져 용기를 감옥에 가두어버렸어요.

만약 적이 없었더라면, 그 죄악이 그 사람을

75 사로잡아버렸을 것이오. 그 야수 같은 분노로

그는 폭행을 일삼았고 불화를 일으켰던

것으로 알려져 있어요. 우리가 듣기엔

그는 추악한 삶을 살고 있고 그의 주정은 위험하다고

알려져 있어요.

80 **의원1** 그는 죽어야 해요.

알시비아데스 가혹한 운명이여! 그분이 차라리 전쟁터에서 죽었더라면.

귀족 여러분, 그분에게서 어떤 선한 면도 볼 수 없으시다면,

---

54. Lacedaemon

55. Byzantium

비록 그의 전공이 자신의 목숨을 구하기에 충분해서,
누구에게도 신세를 지지 않겠지만, 그러나 여러분을 좀 더 설득
하기 위해서, 85
그분의 명성에 저의 평판을 더해, 그것들을 모두 모으겠습니다.
그리고 여러분 같은 고귀한 연세에는 안전을 사랑한다는 것을
제가 알고 있기에, 저의 모든 승리와 모든 명예를 담보로
그분이 여러분에게 잘할 것이라 탄원합니다.
만약 이 죄로 인해 법에 그분이 목숨을 빚지게 된다면, 90
전쟁에서 피로 물든 용맹으로 그의 목숨을 바치게 하십시오,
왜냐하면 법이나 전쟁이나 모두 엄격하기는 마찬가지기 때문이죠.

의원1 우리는 법을 지지하며, 그는 죽어야 하오. 더 이상 논쟁하지 마시오.
그렇지 않으면 우린 대단히 불쾌하게 여길 겁니다. 친구여 형제들이여,
만약 다른 사람의 피를 흘리게 하면 당신도 피를 흘리게 될 겁니다. 95

알시비아데스 꼭 이런 식으로 해야겠습니까? 이래선 안 됩니다. 귀족 여러분,
탄원합니다, 제가 누군지 기억해주십시오.

의원2 뭐라고!

알시비아데스 여러분의 기억을 되살려 저를 기억해주십시오.

의원3 뭐라고! 100

알시비아데스 여러분이 연로하셔서 저를 잊으신 거란 생각이 들 수밖에
없군요.
그렇지 않다면 제가 이렇게 무시를 당해서 제가 부탁하는 평범한
은혜마저
거절당하는 것이 그 이유로 밖에는 설명되지 않습니다. 105

여러분 앞에서 제 상처가 아파옵니다.

의원1 네가 감히 우리를 화나게 하는 것이냐?

난 네게 말을 몇 마디 하지 않겠지만, 그 말의 효력은 대단할 거야.

우리는 네놈을 영원히 추방한다.

110 **알시비아데스** 나를 추방한다고!

네놈의 노망이나 추방해라, 원로원을 추하게 만드는

고리대금이나 추방해라!

의원1 만약 네놈이 이틀 후에도 아테네에 있다면,

더 가혹한 판결을 맞이할 것이야. 그리고 우리들의

115 분노를 크게 돋우지 않기 위해,

그는 곧 사형을 당하게 될 것이다.

[의원들 퇴장]

알시비아데스 이제 신이시여 저놈들을 오래 살게 해서 해골처럼

되게 하시고, 아무도 저놈들을 쳐다보지 않게 하소서!

나는 미치는 것보다 더 좋지 않구나. 난 저놈들의 적들을 물리쳤지,

120 저놈들이 돈을 헤아리고, 높은 이자로 돈을 대출하고

있는 동안에. 나 자신은 잔뜩 상처만 늘었구나.

그 모든 것들이 이러려고 그랬나?

이게 바로 돈놀이 하는 원로원 놈들이 군인의 상처에

처바르는 연고냐? 추방이라!

125 그게 나쁘진 않군. 추방당하는 게 싫지는 않아.

추방이란 것이 나를 분노케 하고,

아테네를 공격할 이유를 내게 주는군. 난 불만에 찬
군대들을 격려하고, 국민들의 마음을 내편으로 끌어들일 거야.
명예란 차지한 땅의 비율과 함께 가는 것이지,
군인들은 신들과 마찬가지로 잘못을 참아서는 안 되지. 130

6장

같은 곳. 타이먼 저택의 연회장.

[음악. 식탁이 준비되어 있다. 하인들이 시중을 들고 있다. 여러 귀족들과 원로원 의원들 그리고 다른 사람들이 여러 개의 문으로 등장한다.]

귀족1 아주 좋은 날입니다.

귀족2 저도 공께 같은 인사를 올립니다. 제 생각엔 이 댁의 영예로운 주인께서 지난번에 단지 우리를 시험하신 것 같습니다.

귀족1 우리가 만났을 때, 그것에 대해 저도 깊이
5 생각해보았습니다. 타이먼 공께서 친구들을 시험하면서
보여주신 것처럼 그분이 그렇게 빈털터리가 아니길
바랍니다.

귀족2 그분의 새로운 연회가 확실히 보여주듯이 그럴 리는 없지요.

귀족1 저도 그렇게 생각합니다. 그분은 제게 간절한 초청장을
10 보냈지요, 중요한 여러 약속들 때문에
초정을 미루려고 했지만, 그분이 하도 간청을 해서
올 수 밖에 없었습니다.

귀족2 저도 마찬가지로 절박한 업무에 묶여 있었습니다만,
그분은 제 변명을 듣지 않으셨어요.
15 그분이 제게 돈을 빌리려고 했을 때,

제가 빌려줄 돈이 없었던 것이 미안하군요.

귀족1 저도 그게 몹시 슬픕니다, 특히 지금 일의 전후를 이해하고 나니.

귀족2 여기 오신 모든 분들이 똑같이 생각하고 있습니다. 그분이 당신에게는 무엇을 빌리려 했나요? 20

귀족1 일천 냥입니다.

귀족2 일천 냥이라고요!

귀족1 당신은요?

귀족2 제게 사람을 보냈는데, . . . 그분이 오시는군요.

[타이먼과 시종들이 등장한다.]

타이먼 진심으로 환영합니다, 두 분 신사분들, 잘 지내시는지요? 25

귀족1 공께서 잘 계신다는 말씀을 듣고서 저희도 항상 잘 지냅니다.

귀족2 제비가 여름을 따르는 것보다 우리가 공을 더욱 더 추종하고 있습니다.

타이먼 [방백] 겨울에 떠나는 것 이상으로 더욱 안달이 났겠지. 인간이란 그런 여름철새지. 신사분들, 저녁식사가 이렇게 오래 기다리시게 할 만큼 30

변변치 못합니다. 그동안 음악으로 여러분의 귀를 즐기게 하십시오.

만약 트럼펫처럼 거친 음악도 즐기실 수 있다면,

우린 곧 앉아서 식사를 하게 될 겁니다.

귀족1 제가 공의 심부름꾼을 빈손으로 돌려보낸 것에 대해

공께서 불쾌하게 여기지 않으시길 바랍니다. 35

타이먼 오, 불편해하지 마십시오.

귀족2 고귀하신 공이시여, ...

타이먼 아, 저의 좋은 친구시군요, 잘 지내시는지요?

귀족2 가장 존경하는 공이시여, 저는 부끄러워서 치를 떨었습니다.

40 전날 공께서 제게 부탁을 하러 사람을 보내셨을 때,

전 너무 가난했었습니다.

타이먼 괘념치 마세요.

귀족2 만약 두 시간 전에 사람을 보내기만 했었더라도, ...

타이먼 좋은 기억을 망치지 마십시오.

[연회가 들어온다.]

45 자, 모두 함께 들어오십시오.

귀족2 모두 덮어 가린 접시들이군!

귀족1 장담하지만 왕가의 음식일 거요.

귀족3 돈과 계절이 허락하는 한 틀림없이 그런 음식일 겁니다.

귀족1 안녕하십니까? 무슨 소식이라도?

50 **귀족3** 알시비아데스가 추방되었어요, 들으셨습니까?

귀족1&2 알시비아데스가 추방되었다고요!

귀족3 그렇습니다. 확실합니다.

귀족1 어떻게! 어떻게요!

귀족2 말해주세요, 무엇 때문에 그랬는지?

55 **타이먼** 저의 귀한 친구 분들, 식탁으로 오시겠습니까?

귀족3 잠시 후에 더 이야기 해줄게요. 여기 대단한 연회가 시작되는군요.

귀족2 여전히 옛날과 똑같으십니다.

귀족3 계속될까요? 지속할 수 있을까요?

귀족2 지금은 그렇습니다. 그러나 시간이 가면 좀 그렇습니다. . . .

귀족3 무슨 말씀인지 알겠습니다. 60

타이먼 각자 자리[56]로 가십시오. 애인의 입술로 튀어 가듯,
여러분의 음식은 모두 비슷하게 놓여 있습니다.
누가 어디에 앉을 것인가 정하기 전에 고기가 식어버리는
도시의 연회에서처럼 하지 마십시오.
앉으십시오, 앉으세요. 신께 감사를 드려야 합니다. 65
당신은 위대하신 은인이시여 여기 모인 사람들에게
감사의 물을 뿌려 당신의 선물로 인해 당신을
찬양토록 하소서, 그러나 항상 무언가는 보류해두소서,
당신께서 멸시받을 경우를 대비해서.
인간들에게 충분히 주셔서 누구도 다른 사람에게 빌릴 필요가 70
없게 하소서. 왜냐하면 만약 당신께서
인간으로부터 빌리려 하면, 인간은 신을 버릴지도 모릅니다.
고기를 주는 사람보다 그 고기가 더 사랑받도록 해주십시오.
20명이 모이면 반드시 거기에
20명의 악당이 있게 하시고, 식탁에 12명의 여자가 앉으면 75
그들 중 12명이 그냥 그대로이게 하소서.
신이시여, 당신의 나머지 원수들과 아테네의 원로원 의원들은
흔한 범죄자들과 함께,

---

56. "자리"(stool)는 일반적으로 손님에게 제공하는 간편한 의자를 말하며, "chair"는 아주 중요한 손님이나 주인이 앉는 의자로 구분해서 사용되었다.

신이시여, 그들이 가진 잘못된 것들을 파멸에
80 적합토록 만드소서. 현재 이 친구들이란 작자들은
내겐 아무것도 아닌 자들이기 때문에, 어떤 축복도 내리지 마시고,
어디서도 환영받지 못하게 하소서.
덮개를 벗기고, 개들아, 핥아라.

[벗겨진 접시는 따뜻한 물로 차 있다.]

어떤 사람 각하께서 뭘 의미하시는 걸까?
85 **다른 사람** 난 모르겠어.
타이먼 이보다 더 나은 진수성찬은 보지 못할 것이야.
입으로만 친구인 놈들! 연기와 미지근한 물이
네놈들에겐 맞춤이다. 이것이 타이먼의 마지막 만찬이다.
네놈들의 아첨에 빠져서 번지르르하게 된 사람이
90 그걸 씻어내어 네놈들
얼굴에다 뿌린다.

[물을 그들의 얼굴에 뿌린다.]

미움 받으면서 오래토록 살아라.
웃음을 흘리며 아첨하는 혐오스런 기생충들,
친절한 파괴자들, 사근사근한 늑대들, 온순해 보이는 곰들,
95 재물을 가진 바보들, 처먹을 때만 친구들, 한철 똥파리들,
비굴하고 굽실대는 노예들, 허황된 것들, 변덕스러운 인간!

사람과 짐승들에 걸릴 수 있는 최악의 질병이
네놈들의 피부에 들러붙어라! 뭐야, 가는 거야?
잠깐! 약부터 먼저 먹어야지, 너도, 그리고 너도,
여기 있어, 네놈들에게 돈을 빌려줄게, 빌리지 않아. 100

[접시들을 사람들에게 던지고, 그들을 내쫓는다.]

뭐야, 모두 가는 거야? 지금부터 연회는 없어.
내 연회에선 악당 놈들은 반갑지 않아.
집을 불질러버려! 아테네야 몰락해라! 지금부터
타이먼은 인간과 모든 인간애를 증오한다.

[귀족들과 의원들이 다시 입장한다.]

귀족1 이게 어떻게 된 겁니까? 여러분! 105

귀족2 왜 타이먼 공이 그렇게 화가 났는지 아십니까?

귀족3 이런! 내 모자를 보았소?

귀족4 난 외투를 잃어버렸소.

귀족1 그는 미친 것이에요, 성질이 다스려지지 않은 것이죠.
그분은 전날 내게 보석을 주었는데, 이젠 110
내 모자를 쳐서 그걸 날려버리는군요. 제 보석을 보셨습니까?

귀족3 제 모자를 보셨나요?

귀족2 여기 있습니다.

귀족4 여기 제 외투가 있군요.

115 **귀족1** 여기에 있지 맙시다.

귀족2 타이먼 공이 미쳤어요.

귀족3 전 멍이 든 것 같아요.

귀족4 언제는 그 사람이 우리에게 다이아몬드를 주더니, 이번엔 돌을 던지는군요.

[퇴장]

4막

1장

아테네의 성 밖

[타이먼 입장]

타이먼 다시 한번 너를 돌아본다. 늑대들 가운데
둘러친 오 너 성벽이여,[57] 땅속으로 꺼져버려서,
아테네를 막아주지 말아다오! 부녀자들은 음탕하게 변해라!
아이들은 순종하지 말길! 노예와 바보들은
5 근엄하게 주름진 의원들을 자리에서 끌어내려라,
그리고 그놈들을 대신해서 일을 해라! 어린 처녀들이
즉시 흔한 매춘부로 변해서 부모들 눈앞에서
그 짓을 하게 하라! 파산자들은 굳건하게 버티면서
돈을 갚기보다는 칼을 뽑아
10 채권자의 목줄을 따버려라! 속박된 노예들아, 훔쳐라!
너희들의 점잖은 주인들이야말로 손 큰 강도들이고,
법을 이용해 약탈하고 있다. 하녀들은 주인의 침대로 가라,
그대들의 안주인은 창녀 같구나! 열여섯 살이 된 아들은

57. 성벽은 보통 늑대의 침입을 막기 위해 둘러치는 것인데 여기서는 역설적으로 성벽 안에 늑대가 있다. 성벽 안의 사람들이 성벽 밖의 야생짐승들보다 더 무섭다는 것을 의미할 수도 있고, 또한 이 작품을 감상하는 관객들이 벽으로 둘러싸인 극장 안에 있기 때문에 그들을 늑대라고 지칭하는 의미도 있다.

늙어 절룩거리는 아비로부터 목발을 빼앗아
그 머리통을 부숴버려라! 경건함, 공포, 15
신을 향한 종교, 평화, 정의, 진리,
가정의 경외심, 밤의 휴식, 이웃 간의 친근함,
가르침, 예의, 성찬물, 교역,
계급, 복종, 관세, 그리고 법률 모든 게
뒤죽박죽으로 반대가 되어, 20
혼란이 판치게 하소서! 사람들에게 발생하는 질병들아,
너의 독하고 점염성이 강한 열병이 아테네에
그득하게 쌓여서 농익어 쏟아져라! 시린 좌골신경통아,
우리 의원들을 절뚝발이로 만들어, 그놈들의 사지도
그 행실만큼이나 불구가 되어 멈추게 해다오. 욕정과 방탕이 25
젊은이들의 마음과 골수에 기어들게 해서,
그들이 노력하는 미덕의 흐름에 역행하게 하라,
그래서 방탕 속에 빠져 죽어버려라. 가려움과 고름덩이가
아테네인들의 가슴에 퍼져서, 그 결과 모두
문둥이가 되어라! 숨결에서 숨결로 감염되어, 30
그들의 모임에서 우정이 곧 독이 되게 하라!
이 벗은 몸뚱이말고는 어떤 것도
네게서 가져가지 않겠다, 네 이 혐오스러운 도시야!
저것도 가져가라 층층이 쌓인 저주와 함께!
타이먼은 숲으로 가겠다, 거기서는 가장 지독한 짐승도 35
인간보다는 친절하다.

모든 선한 신들이시여, 내말을 들으소서. 성벽 안팎의
아테네 인들을 저주하소서!
그리고 타이먼이 늙어갈수록, 귀하거나 천하거나
40 관계없이 모든 인종들을 더욱 증오하도록 하소서! 아멘.

2장

아테네. 타이먼 저택의 방.

[3명의 하인과 함께 플라비어스 입장]

하인1 저기, 집사장님, 주인님께서는 어디 계신지요?
우린 끝난 겁니까? 쫓겨날까요? 남은 게 아무것도 없습니까?
플라비어스 이런, 나의 동료 여러분, 여러분께 무슨 말씀을 드려야 할까요?
정의로운 신들에게 맹세합니다,
저 역시 여러분만큼 빈털터립니다. 5
하인1 이렇게 대단한 집안이 망하다니!
그렇게 고귀한 주인께서 몰락하신 겁니까? 모두 가버렸구나!
한 사람의 친구도 주인님의 불행을
함께 나누려 하지 않는구나!
하인2 마치 우리가 무덤에 던져진 동료에게 10
등을 돌리듯,
주인님의 지난 재산에 친밀했던 사람들도
모두 몰래 달아나는구나, 마치 소매치기 당한
빈 지갑처럼 거짓된 맹세만 주인님께 남기고. 그리고 불쌍한 자신은
집도 절도 없는 거지가 되어 15
가증스러운 빈곤이란 질병에 걸려

홀로 걷고 계시는구나, 마치 증오 그 자체처럼.
여기 더 많은 다른 동료들이 오는구나.

[다른 하인들 입장]

플라비어스 모두가 이 몰락한 집안의 잡동사니들이구나.
20 **하인3** 그러나 우리의 본심은 여전히 타이먼 공의 하인들입니다.
얼굴에서 그것을 볼 수가 있어요. 우린 여전히 동료들이지요,
같이 슬퍼하면서 일을 하고 있어요. 우리의 배는 침수되고 있고,
불쌍한 선원인 우리는 죽어가는 갑판 위에 서서,
파도가 후려치는 소리를 듣고 있습니다. 우리 모두는
25 허공의 바다 속으로 흩어져야 해요.
플라비어스 선한 동료 여러분,
최근까지의 제 모든 재산을 여러분과 나누겠습니다.
우리가 어디서 만나더라도, 타이먼 공을 위해서,
여전히 동료가 됩시다. 마치 우리 주인님의
30 재산에 조종이 울릴 때 우리는 고개를 저으면서
"그때 우린 참 좋았었는데"라고 말합시다. 각자 얼마씩 가져가시오.
아니오, 모두 손을 내미시오. 더 이상 말씀하지 마시고.
가난하게 헤어지면서, 이처럼 슬픔은 풍부히 가지고 이별합시다.

[하인들은 포옹하고 여러 갈래로 헤어져 간다.]

오, 영광이 우리에게 가져다주는 지독한 불행이여!

부자가 비참함과 모욕의 징표가 되기에 35
누가 부유하기를 바라겠나?
누가 영광으로 인해 조롱을 받을 수 있을까? 아니면
단지 우정이란 망상 속에 살 것인가?
그분의 화려함과 신분이 만든 모든 것을 가진다는 것이
그분을 버린 친구들처럼 단지 겉치레만 번지레한 것인가? 40
불쌍하고 정직한 주인님, 바로 그 동정심 때문에 몰락하셨고,
선행 때문에 파멸하셨지! 이상하고도 괴상한 희생이지,
사람이 너무나 큰 선행을 했을 때 그게 최악의 죄라니!
그러면 누가 다시 그 반만큼이라도 감히 친절할 수 있을까?
왜냐하면 신으로 만드는 관대함일지라도 인간을 망쳐놓기 때문이지. 45
내 가장 사랑하는 주인님, 축복 받으셨지만 결국엔 가장
불행하게 되셨지, 부유하셨지만 결국 비참해지셨죠. 주인님의
대단한 재산이 가장 큰 고통을 만들어 주었지요. 아 친절하신 주인님!
괴물 같은 친구들의 배은망덕한 자리를 박차고
분노에 차서 뛰어나가셨지, 50
삶을 지탱할 아무것도 가져가지 않으셨어.
난 주인님을 찾아 쫓아나가겠어.
나는 영원히 성심을 다해 그분의 진심을 섬길 거야.
금덩이를 내가 가지고 있는 동안, 난 항상 주인님의 집사야.

[퇴장]

3장

숲과 동굴. 바닷가 근처.

[동굴로부터 타이먼 등장]

타이먼 오, 만물을 양육하는 축복받은 태양이여, 대지로부터
썩은 습기를 빨아들여, 네 자매별의 궤도 아래로
대기를 오염시켜라! 생식, 거주지, 탄생도 거의 다르지 않은
같은 자궁에서 난 쌍둥이 형제일지라도,
5 여러 다른 운명의 시험에 들어,
더 가진 자가 덜 가진 자를 경멸하고, 모든 쓰린 염증이
그들에게 달라붙는 것보다, 천성적으로
많은 재산을 견디지 못하고 경멸하는구나.
이 거지를 출세시키고, 저 귀족을 내쳐버려라.
10 원로원 의원은 대대로 경멸을 견뎌야 할 것이고,
거지는 원래 타고난 명예를 누릴 것이야.
목초가 양의 옆구리를 살찌우지,
풀이 부족하면 야위게 되는 거야, 누가 감히, 누가 감히
순수한 인품으로 똑바로 일어서서
15 "이 사람이 아첨꾼이다"라고 말할 것인가? 한 사람이 그렇다면,
모두가 그런 것이지, 왜냐하면 모든 운명의 계급은

그 바로 아래 계급으로부터 아부를 받게 되니까. 박학한 수재도
돈 많은 바보에게 굽실대지. 모든 게 엉망진창이야,
우리의 저주받은 인간본성에는 흔들리지 않는 충직한 것은 없고,
오직 노골적인 악행만 있을 뿐이야. 그래서 모든 잔치도 사교도 20
모임도 지긋지긋하구나!
이 타이먼은 나와 비슷한 놈들, 그렇지 나 자신까지도 경멸한다.
파멸이 이 세상을 장악해라! 대지여, 내게 뿌리를 내어다오.

[땅을 판다.]

이것 이상의 것을 탐하는 자는 혓바닥에
가장 약효가 좋은 독을 발라라. 이게 뭐냐? 25
금인가? 노랗게 반짝이는 귀중한 금? 아니야, 신이시여,
저는 건성으로 기도를 드리는 것이 아닙니다.
뿌리를 주세요, 명석한 하늘이시여! 이 정도 양이면
검은 것도 흰 것으로, 추한 것을 아름다운 것으로,
그릇된 것을 옳은 것으로, 미천한 것을 고귀한 것으로, 30
늙은 것을 젊은 것으로 겁쟁이를 용감한 자로도 만들 수 있을 것이야.
대체, 당신네 신들이란! 왜 이러시는 겁니까? 이게 뭡니까, 신이시여?
글쎄, 이것이라면 당신 곁으로부터 당신의 사제나 하인도 빼내올
것이고,
완력깨나 쓰는 자의 머리 밑에 놓인 베게라도 뽑아내겠습니다. 35
이 황금빛 종놈은 종교를 만들거나 폐지할 수 있고, 저주받은 놈을
축복하게도 하며, 희끗하게 늙은 문둥이[58]도 숭배를 받게 만들고,

도둑에게 공직을 주어 직함을 갖게도 하고, 원로원 의원들과 함께
의석에 앉아 탄원하고 승인하게 할 수도 있지. 바로 이것이야말로
40 늙어빠진 과부라도 다시 혼례를 치르게 하지.
병원에서 궤양으로 쓰려 하며
구역질 날 것 같은 여자도 바로 이 금덩이라면
다시 4월처럼 향기롭고 풍취가 나게 하지. 자, 저주받은 흙덩이야,
네놈은 인간들 모두의 창녀라서,[59] 국가들 간에
45 분쟁을 일으키지, 난 네놈이 원래 역할을 하도록
만들 것이야.

[멀리서 진군하는 소리]

어허, 북소린가? 금맥이 풍부하지만,[60]
다시 묻어두어야겠어. 가라, 뻔뻔한 도둑놈아,
네놈의 통풍에 걸린 주인이 설 수 없을 때.
50 아니지, 증거 삼아 좀 꺼내놓자.

[타이먼은 몇 개의 금화를 간수하고 나머지는 묻는다.
알시비아데스가 북과 피리를 부는 병사들과 함께
전투복장으로 등장한다. 프리니아와 타이만드라 등장.[61]]

---

58. 문둥병은 아주 오랫동안 성적으로 방탕한 행실에 대한 벌로 인식되었다.
59. 대지는 모든 생명을 탄생시킨 모체라는 의미에서 "창녀"라고 부르고 있다.
60. Thou'rt quick. "quick"은 광물이 풍부하게 매장되어 있다는 의미다.
61. Phrynia, Timandra.

알시비아데스 거기, 넌 누구냐? 말을 해라.

타이먼 너와 같은 짐승이지. 암 덩어리가 네놈의 심장을 갉아 먹어라,
왜냐면 인간의 눈으로 나를 다시 보았기 때문이야.

알시비아데스 당신 이름이 무엇이요? 당신 자신도 인간인데
인간이 당신께 그렇게 밉소? 55

타이먼 난 인간혐오자야, 그리고 인간 종내기들을 증오해.
난 네놈이 차라리 개였으면 해,
그러면 내가 널 좀 더 좋아해줄 건데.

알시비아데스 난 당신을 잘 알겠습니다.
하지만 당신의 운명이 이럴 줄 몰라서 낯설기만 합니다. 60

타이먼 나도 널 알고 있고, 내가 아는 이상으로
널 알고 싶지 않구나. 북소리를 따라가거라.
인간의 피로 대지를 붉게 칠해라.
종교적 율법과 나라의 법률도
잔혹하기는 하지, 65
그렇다면 전쟁은 어느 정도일까? 이 치명적인 창녀는
네놈의 칼보다 더 파괴적이야,
왜냐하면 저년의 천사와 같은 외모 때문이지.

프리니아 네 놈의 입술이 썩어 문드러져버려라!

타이먼 난 네년과 키스를 하지 않겠다, 그러니 그 썩은 것이 70
네년 입술로 다시 돌아갈 거야.

알시비아데스 어떻게 그 고귀한 타이먼 공이 이렇게 변했단 말인가?

타이먼 달이 그러는 것처럼 원하는 빛을 줘버렸기 때문이지.

하지만 나는 달처럼 다시 회복되지를 못했어,

75 빛을 빌려올 태양이 없었지.

알시비아데스 고결한 타이먼 공이시여,

제가 당신께 어떤 우정을 행하면 되겠습니까?

타이먼 아무것도 필요 없소, 단지 내 의견을

지지해주시오.

80 **알시비아데스** 그 의견이 무엇입니까, 타이먼 공?

타이먼 내게 우정을 약속해주되, 그 우정을 행하지는 마시오. 만약 당신이 약속치 않으면, 신들이 당신에게 천벌을 내릴 것이요, 왜냐하면 당신은 인간이기 때문에! 만약 당신이 우정을 행하면, 저주를 받을 것이오, 왜냐하면 당신은 인간이니까!

85 **알시비아데스** 저는 공의 비참한 사정에 대해 들었습니다.

타이먼 당신은 내가 번창했을 때 그 불행을 보았었소.

알시비아데스 난 지금 보고 있소. 그땐 축복받은 시절이었지요.

타이먼 지금의 자네처럼 창녀들에게 둘러싸여 있었지.

타이만드라 이 사람이 바로 세상이 그렇게 칭송했던

90 아테네의 총아신가?

타이먼 네가 타이만드라냐?

타이만드라 그렇소.

타이먼 항상 창녀로 살아라.[62] 사람들은 너를 이용하는 것이지

사랑하는 것은 아니야.

---

62. "한번 창녀면, 항상 창녀다"(Once a whore, always a whore.)라는 속담과 연관 있는 대사다.

그놈들의 욕정을 네게 남기고, 병을 그놈들에게 퍼뜨려라. 95
너의 음탕한 시간을 활용해라. 그 노예 같은 놈들이 성병을
치료하느라 욕조에서 땀을 빼게 하고, 볼이 발그레한
젊은 놈들도 단식과 금욕요법을 받게 데려와라.

타이만드라 목을 매 죽어라, 괴물아!

알시비아데스 그분을 용서하시게, 착한 타이만드라, 저분은 불행에 100
빠져 제정신을 잃었어.
고귀한 타이먼 공, 나도 최근에 돈이 거의 없소,
그런 돈이 없어서 빈곤에 찌든 군대가
매일 반란을 일으킨다오.
저주받은 아테네 인들이 어떻게 당신의 가치를 외면하고, 105
당신의 위대한 업적을 잊었다고 들었소, 당신의 칼과 재산이
없었더라면 이웃 나라들이 침략해왔을 텐데. . . .

타이먼 부탁이니 북을 치면서 당신들은 떠나시오.

알시비아데스 난 당신의 친구이고 당신을 동정하오, 타이먼 공.

타이먼 당신이 괴롭히고 있으면서 어떻게 동정한단 말이냐? 110
난 차라리 혼자 있고 싶단 말이다.

알시비아데스 자 그럼, 잘 있으시오.
여기 당신께 금을 좀 드리리다.

타이먼 가져가시오, 난 그걸 먹을 수도 없소.

알시비아데스 내가 그 오만한 아테네를 폐허로 만들 때 115

타이먼 아테네를 상대로 전쟁을?

알시비아데스 그렇소, 타이먼 공, 그리고 그럴 이유가 있소.

타이먼 신이시여, 저 사람이 아테네 놈들을 정복하여 모두 파멸시키도록 하소서,

120 그리고 저놈이 정복을 완수하면 저놈마저도 멸망시키소서!

알시비아데스 나는 왜, 타이먼 공?

타이먼 그거야 악당들을 죽임으로써
당신이 내 조국을 정복할 운명이니까.
금을 집어넣으시오. 가시오. 여기 금이 있소. 가시오.
125 조브 신께서 죄악으로 들끓는 도시 위의 탁한 공기 중에
독약을 뿌릴 때, 행성의 영향을 받은 역병처럼 되시오.
당신의 칼이 한 놈도 놓치지 말기를.
수염이 희다고 원로들을 동정하지 마시오.
그놈들은 고리대금업자야.
130 가정부인인 척하는 년들을 때려주어라.
그년들은 정직하게 보이게 옷을 입고 있을 뿐이야,
본색은 창녀들이지. 처녀 같은 모습 때문에 날카로운
칼날이 무뎌져서는 안 돼. 창문 창살을 너머로 남자들의
눈깔에 박히는 저 젖꼭지들은 동정심의 대상이 아니라
135 끔찍한 배신자로 기록되어야 해. 아기도 살려두지 마라,
아기의 보조개 미소는 바보에게서도 자비를 끌어내지.
그 아기는 사생아며, 그 애가 너의 목을 칠 것으로
신탁이 애매하게 예언했다고 생각하고
무자비하게 도륙해버려라.
140 모든 것에 욕설을 퍼부어라.

귀에도 눈에도 장갑을 두르고, 어미가 처녀가, 아기가
비명을 질러도, 피 흘리는 성의를 걸친 사제를 보더라도
지체 없이 찔러라. 군인들에게 보답해줄 금덩이가 있다.
모조리 파괴하고, 분노를 쏟아놓고 나면,
네놈들도 파멸될 것이다. 말하지 말고, 떠나라. 145

알시비아데스 아직 금을 가지고 있소? 충고는 사양하겠지만
주는 금덩이는 받겠소.

타이먼 네가 받든 말든, 천벌이
네놈께 내려라!

프리니아/타이만드라 우리에게 금을 좀 주세요, 타이먼. 더 가지고 있죠? 150

타이먼 창녀가 장사를 그만두게 하고,
포주가 창녀를 만드는 걸 그만두게 할 만큼 충분히 있지. 너희 창녀들아
치마를 항상 위로 들어 올려라. 네년들은 신께 맹세할 만한 가치도
없어,
네년들이 맹세할 거라는 걸 알고는 있지만, 그 끔찍한 맹세는 그걸 155
듣는 불멸의 신들이 심하게 떨어서 천상에서 학질이 걸린 것처럼
될 것이다. 맹세는 접어두어라.
네년들의 천성에 기대를 걸어보마. 계속 창녀로 살아라.
경건한 말로 네년들을 개심시키려는 놈에겐,
용감하게 창녀 짓을 해서[63] 그놈을 유혹해 태워버려라.[64] 160

---

63. "용감하게 창녀 짓을 해서"(Be strong in whore)는 "주님 안에서 강해져라"(Be strong in the Lord)를 패러디한 표현이다.

64. 욕망의 불길로 태우는 의미와 성병으로 육신이 타들어가는 의미가 중의적으로 사

너희들의 은밀한 성병이 그 연기보다 널리 퍼지고,
절대로 변절자가 되지 마라. 그러나 너희들의 수고도
여섯 달은 외면 받을 수 있다. 초라하고 빈약한 머리숱을
죽은 놈의 머리카락으로 덮어라,
165 그중 몇몇은 교수형 당한 놈들이다. 아무 상관없다.
가발처럼 쓰고, 놈들을 속이고, 계속 창녀 짓을 해라.
말이 네 얼굴에 빠질 정도로 화장을 떡칠해라.
염병할 주름살!

프리니아/타이만드라 그럼, 금을 좀 더 주시오. 그런 다음엔 어떻게?
170 우린 황금이라면 뭐든지 할 거라는 걸 믿으시오.

타이먼 성병의 씨앗을
인간의 텅 빈 뼛속에 뿌려라. 그들의 모난 정강이뼈를 후려쳐서,
말에 박차를 가하지 못하게 해라. 변호사의 목소리를 갈라지게 해서
더 이상 잘못된 권리를 탄원하지 못하게 하고,
175 속임수로 시끄럽게 하지 못하게 해라. 정욕의 성질을
꾸짖으면서도 스스로 믿지 못하는 사제들은
병에 걸려 하얗게 뜨게 해라. 앞잡이들을 타도하자,[65]
그놈들을 납작하게 쳐부숴라.
개인적인 일은 미리 챙기고,
180 공공의 일은 외면하는 그런 놈들의 퇴로를 차단해라.
머리가 곱슬곱슬한 악당들을 대머리로 만들고,

용되고 있다.

65. "down with the nose" the nose는 "앞잡이, 우두머리"라는 의미.

상처 하나 없는 전쟁의 허풍쟁이들에겐
고통을 주어라. 모두 병들게 해서,
모든 남근의 발기를 망쳐버리고 가라앉혀 버려라.
금이 더 있다. 다른 놈들을 파멸시키고, 185
이로 인해 너도 파멸하고,
모두 시궁창에 묻어버려라!

프리니아/타이만드라 더 많은 돈과 함께 더 많은 충고를 주십시오,
관대한 타이먼 씨.

타이먼 좀 더 몸을 팔고, 좀 더 나쁜 짓을 먼저 해라. 난 네게 선금을 줬다. 190

알시비아데스 아테네를 향해 북을 울려라. 잘 있으시오, 타이먼 공.
만약 내가 성공하면, 그대를 다시 찾아오겠소.

타이먼 바라건대, 난 당신을 다시는 보지 않을 거요.

알시비아데스 난 당신께 해를 끼친 적이 없소.

타이먼 있소, 당신은 날 좋게 말하고 다녔소. 195

알시비아데스 그걸 해가 되었다고 할 수 있을까요?

타이먼 누구나 매일 발견하는 사실이지. 꺼져버리시오,
사냥개들도 함께 데리고.

알시비아데스 우리가 기분을 상하게만 하는군. 북을 쳐라!

[북이 울린다. 타이먼만 남고 모두 퇴장]

타이먼 인간의 매정함이 역겹지만 사람이니 200
배가 고파지는구나! 자, 어머니 대지여 [땅을 판다.]
당신의 자궁은 그 크기를 알 수 없고, 무한한 가슴은

만물을 낳고 먹이는구나. 똑같은 재료로 된
당신의 교만한 아이인 건방진 인간이 배가 불러
205 검은 두꺼비와 푸른 살모사, 금빛 도롱뇽, 눈 없는 독 지렁이를
퍼질러놓아, 하이페리온의 생명을 불어넣는 열과 햇볕이
빛나는 하늘 아래 모든 역겨운 것들을 태어나게 하는구나.
당신의 모든 아들들이 증오하는 그에게,
그대의 풍족한 가슴으로부터 뿌리 한 개만 주시오.
210 그대의 비옥하고 생산적인 자궁을 시들게 하여,
더 이상 배은망덕한 인간이 태어나지 말게 하라.
호랑이, 용, 늑대, 곰을 잉태하고,
대리석 저택 위로 얼굴을 위로 올려다봐서
여태 등장하지 않았던 새로운 괴물들을 낳으소서.
215 오, 뿌리다! 정말 감사합니다.
당신의 골수와 포도밭과 쟁기질 된 목장을 바짝 마르게 하고,
그곳의 입맛을 돋우는 술과 기름진 음식에 빠진
배은망덕한 인간들이 순수한 마음에 기름이 끼어,
모든 판단이 사라지게 하소서.

[아페만터스 등장]

220 인간이 더 있나? 빌어먹을, 귀찮아!
아페만터스 여기로 오게 되었소. 사람들이 말하길
당신이 내 행동을 흉내 내며 하고 있다고 하더군.
타이먼 그건 내가 흉내 내고 싶은 개를 당신이

기르지 않기 때문이지. 성병이나 걸려버려라!

아페만터스 당신의 모습은 단지 꾸며서 가장하고 있어, 225
불쌍하고 비겁한 우울증이 몰락한 운명에서
솟아나온 것이지. 이 삽은 왜? 여기서?
이 노예 같은 복장에 슬픈 표정은?
당신의 아첨꾼들은 비단옷을 입고, 와인을 마시며, 푹신한
침대에 누워 퇴폐적인 향수를 뿌린 정부를 껴안고, 230
타이먼이란 놈이 있었다는 것도 잊었지. 풍자가인 척하는 것으로
이 숲을 수치스럽게 하지 말아야지.
이젠 당신이 아첨꾼이 되어보시오, 그래서 그들이 당신을 망쳤던
짓을 해서 잘살 길을 찾아보시오. 무릎을 굽히고,
당신이 주목하는 그놈의 숨결이 당신의 모자를 235
날려버리게 하란 말이야. 그놈의 아주 사악한 성격을 칭송하고,
그것을 훌륭하다고 말하란 말이야. 당신이 바로 이런 소리를 들었지.
환대하며 굽실대는 여관종업원처럼, 당신은 그 얇은 귀를
악당뿐만 아니라 접근하는 모든 사람에게 열어두었지.
당신이 악한으로 변하는 것이 지극이 정당하지, 240
만일 당신이 다시 부자가 되면, 악당들이 재물을 가져갈 테니.
나와 닮은 흉내는 그만하시게.

타이먼 만약 내가 당신 같다면, 난 차라리 내 자신을 던져버리겠다.

아페만터스 당신은 자신을 내쳐버렸어, 지난 오랫동안
미친 사람 같았고, 지금은 바보야. 난폭한 침실 하인 같은 245
차가운 바람이 따뜻하게 셔츠라도 입혀줄까? 독수리보다

오래 산 이 축축한 나무들이 당신 발뒤축을 따라다니며
당신이 지시하면 즉각 행동할까? 얼음으로 번뜩이는
차가운 개울물이 밤을 새며 과음한 것을 고쳐줄
250 아침 해장술이 되겠냐?
원성으로 가득 찬 하늘의 원한 속에
발가벗은 채로 사는 모든 짐승들을 불러라,
거친 환경에 드러난 헐벗고 집도 없는 몸뚱이들은
단지 야생의 법칙에 따를 뿐이지.
255 당신께 그 짐승들이 아첨 떨게 해보라.
오, 그대는 알게 될 것이야.

타이먼 바보야, 꺼져라.

아페만터스 난 이전보다 지금 널 더 좋아해.

타이먼 난 네놈이 더 밉다.

260 **아페만터스** 왜?

타이먼 넌 불평분자에게 아첨을 하니까.

아페만터스 난 아첨하는 것이 아니라 당신이 가여운 인간이라고
말하는 것이야.

타이먼 왜 당신은 나를 찾아냈소?

265 **아페만터스** 당신을 괴롭히려고.

타이먼 항상 못된 놈이나
바보 역할이 즐겁소?

아페만터스 그렇고말고.

타이먼 뭐라, 악당도?

아페만터스 당신이 자신의 오만을 벌주기 위해 이 쉰내 나고 270
차가운 옷을 입었다면, 잘했소. 하지만 당신은 할 수 없이
억지로 그런 것이요. 만약에 당신이 거지가 아니었다면,
다시 궁정귀족이 되었을 거요. 스스로 택한 불행은
불확실한 허세보다는 오래가고, 먼저 보답을 받게 되지.
한쪽은 항상 충만하나, 절대 완벽하지는 않고, 275
다른 쪽은 커다란 기대감을 가지고 살지. 가장 좋은 처지라도
만족하지 못하면 괴롭고 비참한 존재가 되니까,
최악보다 더 나쁜 것이야, 만족하시게.
당신은 죽기를 바라는 게 낫겠어, 비참한 존재니까.

타이먼 더 비참한 놈의 말로 인해 죽을 순 없어. 280
넌 행운의 여신이 부드러운 팔로 총애하며 감싸준
적이 없이 개처럼 길러진 노예야.
너도 우리처럼 처음으로 기저귀를 찼던 때부터
이 짧은 세상이 제공한 달콤한 출세의 길에
들어 복종하는 하인들에게 편하게 명령을 내리는 285
정도가 되었다면, 네놈 역시도 방탕에 빠져
욕정의 여러 침대에서 젊음을 허비했을 것이고, 절대로
존중에 대한 냉엄한 교훈을 배우지 못했을 것이고,
단지 네놈 앞에 놓인 달콤한 유혹의 장난을 좇았을 것이야.
하지만 나는, 이 세상을 마치 사탕가게처럼 여겼어. 290
감당할 수 없을 정도의 사람들의 입과 혀와 눈과
마음들을 내가 부렸고,

참나무에 붙은 잎사귀처럼 내게 들러붙었던
수많은 사람들이 겨울바람이 한번 휙 불자
295 가지에서 죄다 떨어져버렸고, 나만 휑하니 벌거숭이로 남아
온갖 몰아치는 폭풍을 감당하는구나. 좋은 환경에서 살아
이런 일을 몰랐던 내가 견디자니 고생이구나.
언젠가 죽을 너희 자연은 고통에서 삶을 시작해서,
세월이 너희들을 단단하게 만들었어.
300 왜 너희가 인간을 미워해야 하나?
사람들이 너희에게 아첨한 적도 없다. 너희가 무엇을 주었느냐?
만약 네가 욕을 퍼붓는다면,
불쌍하고 비참한 네놈의 아비에게 퍼부어야 한다.
네 아비는 억지로 거지 년과 교미를 해서
305 비열한 깡패 속성을 물려받은 네놈을 낳았으니. 그러니, 꺼져라.
네놈이 인간 말종으로 태어나지 않았다면,
넌 악당이나 아첨꾼이 되었을 것이다.

아페만터스 아직도 잘난 체하시는가?

타이먼 그래, 난 네놈과는 달라.

310 **아페만터스** 난, 방탕한 사람이 아니야.

타이먼 난 지금도 방탕하게 뿌려대는 것을 자랑하겠다.
만약 내가 가진 모든 재물을 네놈에게 쑤셔 넣는다면,
난 네가 목매어 죽게 해주겠다. 없어져버려.
아테네의 모든 목숨이 여기에 있다면!
315 이처럼 내가 씹어먹을 텐데.

[뿌리를 먹는다.]

아페만터스 여기, 자네의 만찬을 더 채워[66] 주겠네.

[타이먼에게 음식을 건넨다.]

타이먼 우선 옆에 있는 놈부터 갈아치워야겠어,[67] 없어져라.

아페만터스 그러면 당신을 떠나는 것으로 내 주변을 개선할 거야.

타이먼 그렇게는 잘 개선되지 않아, 그건 단지 임시방편이지.

그렇더라도 난 네놈이 내 곁에서 없어졌으면 좋겠어. 320

아페만터스 내가 아테네에 무엇을 전했으면 하나?

타이먼 너는 저 회오리 속으로 쓸려가거라. 네가 그러고 싶다면,

그놈들에게 내가 황금을 가지고 있다고 말해라.

봐라, 이처럼 내가 가지고 있지 않느냐.

아페만터스 여기선 금덩이가 아무 소용없어. 325

타이먼 최상 최적의 장소지,

왜냐하면 금이 여기서 묻혀 있는 동안, 돈 때문에 다치지는 않지.

아페만터스 밤엔 어디서 몸을 누이나, 타이먼?

타이먼 내 위에 있는 저 하늘 아래지.

어디서 매일 먹나, 아페만터스? 330

아페만터스 내 위장이 음식을 찾는 곳이지, 아니면,

---

66. mend(채워): 이 문장에서 mend는 supplement의 뜻으로 쓰인다.

67. mend(갈아 치우다): 위의 문장과 같은 단어 mend를 쓰고 있지만 뜻은 다르게 사용하고 있다. 언어유희의 pun을 사용하고 있다.

내가 먹는 곳에서 먹지.

타이먼 독이 내 말을 잘 듣고 내 마음을 알아주면 좋으련만!

아페만터스 어디다 독을 보내게?

335 **타이먼** 네놈의 음식에다 뿌려주려고.

아페만터스 당신은 인간속성의 중간부분은 절대로 모르지,
단지 양쪽 극단만 알 뿐이지. 자네가 번쩍이는 옷을 입고
향수를 뿌렸을 때 사람들은 너무 꼼꼼하게 신경 쓰는 것에 대해
자넬 비웃었지. 누더기를 두르더니 자넨 아무것도 모르고
340 정반대로 멸시를 받기만 하지.
여기 자네에게 줄 모과[68]가 있네. 먹어보게.

타이먼 내가 싫어하는 것에 대해서는 난 먹지 않아.

아페만터스 모과를 싫어하나?

타이먼 그래, 모과가 너처럼 생겼구나.

345 **아페만터스** 당신이 좀 더 일찍 참견하는 놈들을 싫어했으면,
지금 당신 자신을 좀 더 사랑했을 텐데. 재산이 없어진 후에도
사랑받는 낭비벽을 가진 자를 알았던 적이 있소?

타이먼 당신이 말하는 재산이 없이도 사랑받는 사람을
당신은 알고 있소?

350 **아페만터스** 나 자신이 그렇소.

타이먼 그래 알겠다. 당신은 개 한 마리 지닐 돈은
가졌었지.

---

68. 모과(medlar)는 "간섭하는 사람"이란 뜻의 meddler와 언어유희(pun)로 사용되고 있다.

아페만터스 당신의 아첨꾼들과 가장 가깝게 비교할 수 있는 것이
도대체 뭐가 있지?

타이먼 여자들이 가장 가깝지. 하지만 남자들은 모두 355
완전한 아첨꾼들이야. 만약 당신이 힘이 있다면
이 세상에 무슨 일을 해주고 싶나?

아페만터스 인간을 없애버리기 위해 짐승들에게 세상을 주어버리겠어.

타이먼 인간이 멸망이 멸망하게 거들고,
짐승이 되어 다른 짐승들과 남고 싶다는 건가? 360

아페만터스 그렇다, 타이먼.

타이먼 잔혹한 소망이군, 신이시여 이놈에게 그 소망을 허락하소서!
만일에 당신이 사자라면, 넌 여우에게 속아넘어갈 거야.
만약 네가 양이라면, 여우가 너를 잡아먹을 것이고,
만약 당신이 여우라면, 아마도 당나귀가 너를 고발해서 365
사자가 너를 의심할 것이다. 만약 네가 당나귀라면,
그 멍청함이 너를 괴롭힐 것이고, 그렇다고 한들
늑대의 아침거리로밖에 살 수 없겠지. 만약 네가 늑대라면,
너의 욕심이 너를 괴롭힐 것이고, 종종 먹을거리 때문에
너의 목숨을 위태롭게 할 것이야. 만약 네가 370
유니콘이라면, 오만과 분노가 너를 파멸시킬 것이고
네놈 자신이 그 분노의 재물이 될 것이다. 만약 네가
곰이라면, 넌 아마 말에게 죽을 것이다. 만약 네가
말이라면, 표범에게 붙잡히게 될 것이다. 만약 네가
표범이라면, 넌 사자와 가까운 종족이 되니까, 표범의 375

점박이 무늬가 네 목숨을 위험하게 할 것이다.
안전할 수 있는 네놈의 유일한 방법은 멀리 달아나는 것이다,
세상을 떠나 있는 것이 너의 방어책일 것이야.
네가 어떤 짐승이 되더라도,
380 다른 짐승의 손아귀에서 고통받지 않겠느냐?
네가 짐승이 되어서 더 나빠졌다는 것을 네가 모르니,
넌 참 대단한 짐승이다!

아페만터스 네가 내게 한 말 중에서 나를 즐겁게 한 게 있다면, 넌
내게 이미 그 말을 했다. 아테네 공화정은 지금
385 짐승들의 숲이 되었으니까.

타이먼 멍청이 당신이 어떻게 성벽을 뚫고 도시를 벗어날 수 있었지?

아페만터스 저기 시인과 화가가 오는군. 여러 질병들이 떼거리로
저놈들에게 옮겨 붙어라! 난 병에 걸리기 싫다, 그래서
나는 간다. 내가 아무 할 일이 생각나지 않으면, 다시 와서
390 당신을 만나지.

타이먼 네놈이 이 세상의 마지막으로 살아있는 목숨이라면, 내 환영
하겠다. 난 아페만터스가 되느니 차라리 거지의 개가 되겠다.

아페만터스 당신이야말로 살아있는 모든 바보들의 왕이야.

타이먼 내가 침을 뱉을 수 있을 만큼 네놈이 깨끗했으면 좋겠어.

395 **아페만터스** 염병이나 걸려라! 넌 내가 욕을 할 수도 없을 정도로
너무 악질이야.

타이먼 어떤 악당이라도 네놈 옆에 서기만 하면 깨끗하게 보일 거다.

아페만터스 문둥이도 네가 말하는 것과는 비교가 안 되겠다.

타이먼 만일 내가 네놈의 이름을 말하면,

난 네놈을 때려줄 테다, 하지만 내 손이 더럽혀지겠지. 400

아페만터스 내 혀가 네놈의 손을 썩어 문드러지게 했으면 좋으련만.

타이먼 꺼져라, 넌 개자식이야!

네놈이 살아있는 것을 보는 게 속이 쓰려 나를 죽이는구나.

네놈을 보기만 해도 기절하겠다.

아페만터스 네놈이 터져 죽어버렸으면! 405

타이먼 가라,

지겨운 깡패 놈아! 네놈 때문에 이 돌멩이 하나

버리는 것도 유감스럽다.

[아페만터스에게 돌을 던진다.]

아페만터스 짐승!

타이먼 노예 놈! 410

아페만터스 두꺼비!

타이먼 깡패, 깡패, 깡패야!

난 이 부정한 세상이 역겹다, 그리고 꼭 필요한 것들

이외에는 아무것도 좋아하지 않겠다.

그러면 타이먼 지금 자신의 무덤을 준비해라. 415

매일 바다의 가벼운 거품이 무덤의 돌에 부딪히는

그곳에 누워라. 내 죽음이 다른 사람들의 삶을 비웃는

묘비명을 만들어라.

[금에다 대고 말을 한다.]

오, 왕을 죽이는 귀여운 것, 아버지와 친아들을
420 갈라서게 만드는 사랑스러운 것, 숫처녀[69]의 가장 순수한
침대도 더럽히는 반짝이는 것, 넌 용맹스러운 전쟁의 신이고,
넌 언제나 젊고, 생생하고, 사랑스러우며, 섬세한 구애자이며,
너의 붉게 수줍은 얼굴은
달의 여신 다이애나[70]의 무릎 위에 봉헌된 눈을 녹이지!
425 넌 눈에 보이는 신이라서,
합치기 불가능한 것들을 묶어 놓고 서로 키스하게 하고,
모든 경우에 모든 말로써 웅변한다!
오, 넌 마음의 시금석!
너의 노예인 인간이 반항하고 있다고 생각하고,
430 너의 능력으로 인간들을 파멸의 상황으로 몰아넣어서
짐승들이 이 세상을 그들의 제국으로 만들도록 해라!

아페만터스 그렇게 되기만 한다면!
하지만 내가 죽을 때까진 안 되지. 당신이 금을 가졌다고
떠들고 다닐 거야. 사람들이 곧 당신에게 밀어닥칠걸.

435 **타이먼** 밀어닥친다고?

아페만터스 그래.

---

69. "숫처녀"로 번역한 원어는 Hymen인데 원래 "처녀막"을 의미하기도 하고, 그리스-로마 신화에서 "결혼의 신"이기도 하다. 여기서는 순결한 결혼과 처녀막을 모두 뜻하는 "숫처녀"로 번역했다.

70. 다이애나는 "정절"(chastity)의 여신이기도 하다.

타이먼 제발, 등을 돌려 떠나라.

아페만터스 살아서 그대의 비참함을 사랑하시길.

타이먼 그렇게 오래 살다가 그렇게 죽어버려라! 난 그만 하겠다.

[산적들 등장]

아페만터스 인간같이 생긴 게 더 오는군! 먹어치워라, 타이먼, 440
그리고 저놈들을 증오해라.

[퇴장]

산적1 그놈이 이 금을 어디서 얻었지? 이건 보잘것없는 부스러기야,
그놈의 남긴 재산의 티끌만한 조각에 불과하지.
돈이 완전히 말라버리고, 친구들은 떨어져나가서,
그놈은 이런 우울증에 빠진 것이지. 445

산적2 그놈이 엄청난 보물을 가지고 있다고 하던데.

산적3 그놈을 시험해보자. 그놈이 재물에 신경 쓰지 않는다면,
우리에게 쉽게 내줄 거야. 만약 그놈이 욕심을 부리며
재물을 움켜쥐면, 그걸 어떻게 빼앗지?

산적2 사실 그래, 그놈이 재물을 지니고 있지는 않을 텐데, 숨겨놨어. 450

산적1 이놈이 그놈인가?

산적들 어디?

산적2 사람들이 말하는 것처럼 보이는군.

산적3 그놈이다, 난 알아보겠어.

455 **산적들** 복 받으세요, 타이먼 씨.

타이먼 뭐야 이거, 도적들인가?

산적들 군인들입니다, 도적이 아닙니다.

타이먼 둘 다 되겠지, 여자의 아들도 되고.

산적들 우린 도적이 아니지만, 몹시 궁핍하오.

460 **타이먼** 가장 궁핍한 것은 음식이 부족한 것이겠지.
왜 궁핍해야 하는데? 봐라, 땅에는 뿌리들이 있다.
여기 일 마일 이내에 백 개의 샘이 있고,
참나무에는 도토리가, 찔레나무엔 붉은 열매가 있어,
자연이라는 후한 안주인이 너희들 앞에
465 대단한 만찬을 내놓았어. 궁핍하다니! 왜 궁핍하지?

산적1 짐승이나, 새나, 물고기처럼
우린 풀이나 야생열매나 물만 먹고 살 수가 없어요.

타이먼 짐승이나 새나 물고기를 먹고 살 수는 없어,
사람을 잡아먹어야지. 하지만 자네들이 도둑이라는 것을
470 고백하고, 뭔가 좀 고상한 척 하지 않아서
나는 고맙네, 왜냐하면 자기네들끼리만 해먹는 직업에선
끝도 없는 도둑질이 횡횡하니까. 불한당 같은 도둑들아,
여기에 금이 있다. 가서 피가 끓을 때까지 포도주를
빨아대고, 교수형은 피해라. 의사를 믿어선 안 돼,
475 그 의사 놈의 약은 독약이고, 그놈은 네가 강도짓 하는 것보다
더 많은 사람을 죽여. 그러니까 의사 놈은 사람들의
돈과 목숨을 한꺼번에 빼앗아가지.

전문가처럼 악행을 저질러라, 왜냐하면 악행이
너의 직업이니까. 너를 위해 내가 너의 도둑질을 정당하다고
말해주마. 태양은 도둑이야, 그 대단한 흡입력으로 480
방대한 바다를 훔치지. 달도 악명 높은 도둑이야,
달은 태양에게서 창백한 달빛을 훔치지.
바다도 도둑이야, 바다의 조수는 달을 짠 눈물로
바꿔놓은 것이니까. 지구도 도둑이야, 배설물로부터 훔친
비료를 가지고 먹이고 기르니까. 모든 것이 다 도둑이다. 485
너를 구속하고 때리는[71] 법은 거친 힘으로
무진장 도둑질을 했다.
네 자신을 사랑하지 마라. 가거라.
서로 강도질을 해라. 금이 더 있다. 목줄을 잘라라.
너희들이 만나는 모든 사람은 다 도둑들이다. 아테네로 가서, 490
상점을 털어라. 아무것도 훔치지 못하면 도둑은 손해다.
내가 이것을 너희들에게 주었다고 해서 적게 훔치진 말아.
그러나 금이 너희들을 파멸시킬 것이다. 아멘.

산적3 도둑질을 하라고 설득하니 내 직업을 그만둘 것 같은
기분이야. 495

산적1 그가 우리에게 충고하는 것은 우리들의 강도짓이
번창하라고 그런 것이 아니라 인간들을 증오해서야.

---

71. 야생마를 길들이는 이미지를 가지고 있다. 법이 인간의 자유로운 상황을 국속하고 길들여 그 법을 만든 사람의 입맛에 맞게 사람을 바꾸어 놓는다는 것을 말하는 것이다.

산적2 난 그를 적이라고 믿고 강도짓을 그만두겠어.

산적1 아테네에서 평화롭게 만나자. 사람이 진실하지 않는다면

500 더 비참한 시간은 없어.

[산적들 퇴장]

[플라비어스 등장]

플라비어스 오, 신이시여!

저기 비참하게 몰락한 사람이 저의 주인이십니까?

저렇게 쇠락하고 나약해진 사람이? 악한 사람들에게

베푼 선행의 놀라운 사례구나!

505 절망적인 빈곤이 만들어낸

이 얼마나 엄청난 변화인가!

그 고귀한 마음을 가장 천박한 상태로 몰고 간

친구들보다 더 사악한 것이 세상에 있겠는가!

어떤 사람의 적은 그가 사랑했던 사람이라는 사실이

510 이처럼 기막히게 세태에 맞을 수 있는지!

내가 사랑하게 되면, 나를 사랑한다고 말하는 사람보다는

나를 해치려는 사람을 사랑하게 하소서!

나를 보셨구나. 내가 얼마나 슬픈지

주인님께 말해야겠다. 그리고 저분이 나의 주인님이니까,

515 목숨을 바쳐 주인님을 모셔야겠어. 소중한 주인님!

타이먼 저리 가거라! 넌 누구냐?

플라비어스 저를 잊으셨습니까, 주인님?

타이먼 그걸 왜 묻느냐? 난 모든 사람들을 잊었다.

그래서 네가 인간이라고 말한다면, 난 널 잊었다.

플라비어스 저는 주인님의 정직하고 불쌍한 하인입니다. 520

타이먼 그렇다면 난 너를 모른다.

난 한 번도 정직한 사람을 곁에 둔 적이 없다.

나의 모든 하인들은 나쁜 놈들이다, 악당들에게 음식을

가져다주곤 하였으니.

플라비어스 주인님을 위해서 저보다도 더 주인님의 525

몰락을 진정으로 슬퍼한 잡사가 없다는 것을

신들께서 증언하실 것입니다.

타이먼 뭐야, 울고 있느냐? 가까이 오거라. 그러면

널 사랑하겠다, 왜냐하면 넌 여자니까, 그리고

돌같이 매정한 인간들은 아니니까. 그놈들의 눈은 530

욕정에 차 있거나 웃을 때를 제외하곤 눈물을 흘리는

법이 없지. 연민이란 놈은 잠을 자고 있다.

슬퍼서 우는 것이 아니라 웃겨서 울다니 참으로 이상한

시대구나!

플라비어스 제발 저를 알아봐주십시오, 주인님, 535

저의 슬픔을 받아주시고, 이 하찮은 재물이 남아 있는 한

주인님의 집사가 되게 해주십시오.

타이먼 그렇게 진실하고, 그렇게 정의롭고, 이제는 그렇게 위안이 되는

집사를 내가 데리고 있었나?

540 이 상황이 내 위험한 성격을 거의 누그러뜨리는구나.
너의 얼굴을 좀 보자. 확실히 이 남자는
여자로부터 태어났어.
나의 무조건적이고 예외 없는 분노를 용서해주십시오,
항상 분별력이 있는 신들이시여! 한 명의 정직한 사람이
545 있다는 것을 주장합니다, 오해하지 마십시오, 오직 한명입니다.
더 이상은 아닙니다. 희망컨대, 그 사람은 집사입니다.
내가 얼마나 모든 인간들을 미워하고 싶어 하는지!
넌 네 자신을 속죄했다, 하지만 너를 제외한 모든 사람들에게
저주를 내리겠다.
550 내 생각엔, 넌 지금 판단력이 있다기보다는 정직한 편이다,
왜냐하면 나를 억압하고 배신함으로써,
곧 새로운 일자리를 가질 수 있을 것인데도.
수많은 사람들이 첫 번째 주인을 배신하고
두 번째 주인을 섬기지. 하지만 사실대로 말해다오,
555 내가 확신하더라도 난 항상 반드시 의심할 것이다.
너의 친절함이 간교하고, 탐욕스러워서 그런 게 아닌지.
만약 고리대금업자의 친절함이 아닌지, 스무 배로 선물을
되돌려 받기를 바라며 선물을 하는 부자가 아닌지.

플라비어스 아닙니다, 가장 고귀하신 주인님, 그 마음속에
560 가지신 의심과 의혹은 안타깝게도 너무 늦었습니다.
주인님께서 연회를 벌이셨을 때 배신을 두려워해야 했었습니다.
재산이 아주 적을 때 항상 의심이 들게 마련이죠.

하늘도 아실 겁니다, 제가 보여 드리는 것은
주인님의 음식과 생활을 돌보면서
주인님의 비할 데 없이 고귀한 마음에 대한 565
사랑과, 의무와 충성뿐입니다. 믿어주십시오,
나의 가장 영예로우신 주인님, 지금이나 앞으로든,
만약 어떤 이익이 제게 온다고 해도, 저는 한 가지 소망과
그것을 바꾸겠습니다. 그것은 주인님께서 권력과 부를 다시 가지셔서,
부자가 되셔서 제게 보답을 해주시는 것입니다. 570

타이먼 보라, 그렇게 된다! 넌 단 한 명의 정직한 사람이다,
여기, 이것을 받아라. 나의 비참함을 통해서 신들은
네게 보물을 내리셨다. 가서 부유하고 행복하게 살아라.
하지만 한 가지 조건은 인간들과 떨어져서 사는 것이다.
모든 인간을 미워하고 증오하며, 누구에게도 자선을 베풀지 말라. 575
거지를 돕기 전에, 굶주린 살덩어리가 뼈에서
흘러내리도록 놔둬라. 인간에게 주지 않을 것을
개에게 주어라. 감옥이 그놈들을 집어삼키게 해라.
빚이 인간들을 바짝 시들게 해서 없애버려라. 그놈들을
죽은 고목처럼 되게 해라. 580
그리고 질병이 그들의 부정한 피를 핥기를!
그럼, 잘 가라, 행운을 빈다.

플라비어스 오, 저를 여기 머물게 해주십시오,
그래서 편하게 해드리겠습니다, 주인님.

타이먼 만약 네가 저주받고 싶지 않다면, 585

여기에 머물지 말라. 네가 축복받고 자유로운 동안에, 떠나라.
어떤 인간도 만나지 말고, 나도 너를 절대로 보지 않게 해다오.

[플라비어스 퇴장, 타이먼은 동굴로 퇴장한다.]

5막

1장

시인과 화가 등장

[타이먼은 자신의 동굴에서 그들을 본다.]

화가 내가 장소에 주의를 기울였는데, 그가 사는 곳이
이 근처가 틀림없어.

시인 그 사람에 대해 어떻게 판단해야 되죠? 그가 금을 그렇게
많이 가졌다는 소문이 사실일까요?

5 **화가** 확실해요. 알시비아데스 장군도 그렇다고 말했어요.
프리니아와 타이만드라도 그에게서 금을 얻었대요. 게다가
불쌍하고 낙오된 군인들에게도 상당한 양을 주었대요. 그의
집사에게도 대단한 양의 금을 주었다고 해요.

시인 그렇다면 그의 파산이 단지 친구들을 시험하기 위한
10 것이었을까요?

화가 아니면 뭐겠어요. 그가 아테네에서 다시 영예를 얻고,
최상으로 활약하는 것을 보게 될 거요. 그래서 그가 이렇게
곤란을 겪는 척하고 있을 때 우리들의 애정을
그에게 전달하는 게 좋을 거요. 그러는 것이 우리를
15 정직하게 보이게 할 것이고, 우리의 의도에 수고한 대가를
얹어줄 것 같소, 만약 그가 재물을 가지고 있다는 이야기가
사실이라면.

시인 그에게 선물하려고 뭘 지금 가져왔소?

화가 방문하는 것 말고는 이번에는 아무것도 없어요. 단지
나는 그분께 걸작을 약속할 거요. 20

시인 나도 그렇게 하겠습니다. 그분에게 온 이유에 대해
이야기 할 겁니다.

화가 그게 가장 좋겠군요. 약속하는 것이 요즘의 추세지요.
약속은 기대를 하게 만드니까요. 실행은
이런 이유로 늘 재미가 없지요. 그리고 평범하고 25
단순한 부류의 사람들을 제외하곤 말하는 것을
실천한다는 것은 아무 짝에도 쓸데없어요.
약속한다는 것은 대단히 우아하고 세련되죠.
실행은 일종의 유언이나 서약처럼 그것을 만든 사람의
판단력에 큰 문제가 있었는지 언쟁하게 되지. 30

[타이먼이 동굴에서 나온다.]

타이먼 [방백]
대단한 장인이야! 넌 사람을 그려도
너 자신만큼 나쁘게 그릴 수는 없지.

시인 난 그분께 바칠 작품이 준비되었다고
말씀드릴까 하네. 작품은 반드시 그분을
노래한 것일세. 즉, 젊음과 부유함을 추종하는 35
무한한 아첨을 나타내면서,
풍요의 연약함에 대한 풍자일세.

타이먼 [방백]

넌 네놈의 작품에서 악당을 그려내어야만
하겠니? 네놈은 다른 사람이 저지른
40 네놈이 만든 악행에 회초리를 친다는 것이냐?
그래 봐라, 네놈에게 금을 줄 테니.

시인 글쎄, 그분을 찾읍시다.
우리가 이익을 보고 늦게 달려들면,
우린 우리 재산에 죄를 짓는 것이요.

45 **화가** 사실이요.
날이 밝을 때, 캄캄한 밤이 오기 전에,
공짜로 제공되는 햇빛으로 당신이 원하는 걸 찾읍시다.
갑시다.

타이먼 [방백]

네놈들을 놀려주면서 만나야지.
50 돼지우리보다 천박한 신전에서도
숭배를 받을 수 있다니,
대단한 황금의 신이야!
황금 너는 배를 출항시켜 파도 거품을 가르게 하며,
노예에게 공경하는 존경심을 심어놓는구나.
55 너를 숭배케 하고, 성자들은 항상 역병이나
뒤집어쓰게 하며, 오직 너에게만 복종하지.
저놈들을 만나날 때가 되었다.

[타이먼이 앞으로 나온다.]

시인 오, 귀하신 타이먼 님!

화가 고귀하신 이전의 어르신!

타이먼 두 분의 정직하신 분을 만나려고 내가 여태 살았단 말인가? 60

시인 각하,

저희는 종종 각하의 후한 관대함을 맛보았고,

각하께서 칩거하셨다는 소식과 각하의 친구들이 각하를

외면했다는 소식을 들었습니다.

그놈들의 배은망덕한 천성이라니, 오 멸시를 받을 심보들! 65

그 어떤 천벌도 그놈들에겐 크지 않습니다.

감히 각하에게, 각하의 별 같은 고귀함이 그놈들 모두가 살게끔

생명과 영향을 끼쳤는데! 저는 분노가 치밀어올라,

이 배은망덕한 해괴한 무리들을 그 어떤 말로도

감쌀 수가 없습니다. 70

타이먼 감싸지 말고 그대로 두시오, 사람들이 더 잘 볼 수 있게.

원래 모습 그대로인 정직한 당신들은

그놈들이 잘 드러나고 알려지게 만드시오.

화가 시인과 저는 각하의 엄청난 선물에 은혜를 입었고,

그것을 행복하게 느껴왔습니다. 75

타이먼 그래, 당신들은 정직한 사람이야.

화가 저희들은 각하를 돕기 위해 여기에 왔습니다.

타이먼 정말로 정직한 사람들이야! 그럼, 내가 어떻게 자네들에게 보답할까?

뿌리를 먹고 차가운 물을 마실 수 있겠나? 아니라고?

시인/화가 저희가 할 수 있고, 앞으로 할 것은 각하를 모시는 것입니다. 80

타이먼 당신네들은 정직한 사람들이야. 내가 황금이 있다는 걸 들었어.
난 당신들이 들었다고 확신해. 사실대로 말해보시오,
당신네들은 정직한 사람이니까.

화가 그렇게들 이야기하더군요, 고귀하신 각하, 하지만 그래서 저와
85 제 친구가 온 것은 아닙니다.

타이먼 착하고 정직한 사람들이야! 자네는 아테네에서
초상화를 가장 잘 그리지. 사실 자네가 최고야.
정말 살아있는 것처럼 똑같이 그리지.

화가 그저 그렇습니다, 각하.

90 **타이먼** 내가 말하는 것처럼 꼭 그래. [시인에게] 그리고 자네의 작품은,
뭐랄까, 자네의 시는 아주 섬세하고 부드럽게 아이디어가 넘쳐나서,
시가 정말 자연스러워.
하지만, 천성이 정직한 친구들이여, 이 모든 것에도
약간의 결점이 있다고 말하지 않을 수 없다네.
95 진정하시게, 결점이 대단하지는 않아서, 그걸 자네가
큰 수고를 하며 고치기를 바라진 않아.

시인/화가 각하, 제발 그게 무엇인지
저희들에게 알려주십시오.

타이먼 언짢게 받아들일 텐데.

100 **시인/화가** 대단히 감사하며 받아들이겠습니다, 각하.

타이먼 정말로 그럴 거요?

시인/화가 의심하지 마십시오, 소중한 각하.

타이먼 당신들 중 한 사람은 그 사람을 끔찍하게 기만하는

악당을 신뢰하고 있소.

시인/화가 우리가 그렇습니까, 각하? 105

타이먼 그렇지, 당신네는 그놈이 속이는 것을 듣고, 기만하는 것을 보고,
그놈의 끔찍한 악행을 알고, 그놈을 사랑하고,
그놈에게 음식을 대접하고, 진심으로 믿고 있어.
하지만 그놈이 노련한 악당이라는 것을 보장하지.

화가 저는 그런 놈을 모릅니다, 각하. 110

시인 저도 모릅니다.

타이먼 보시오, 난 당신들을 아주 좋아해요, 그래서 여러분께 금을 줄 테니,
이 악당 놈을 여러분의 주변에서 없애버리시오.
그놈들을 목매달든지, 찔러 죽이든지, 시궁창에다 익사시키든지,
어떤 식으로든 그놈들을 파멸시킨 후에 제게로 오세요. 115
내가 여러분에게 황금을 듬뿍 주겠소.

시인/화가 그놈들의 이름을 말해주십시오, 각하,
그놈들이 누군지 알려주십시오.

타이먼 자네는 저쪽으로, 그리고 자넨 이쪽으로—그래도 합치면 둘이지—
각자 떨어져서, 혼자 서있으시오, 120
그러나 큰 악당은 동무를 곁에 두는 법이지.
[화가에게] 만약 당신이 있는 곳에 두 명의 악당이 없게 하려면,
저자에게 다가가지 말라. [시인에게] 만약 자네가 한 놈의 악당만
있는 곳에 머물고 싶다면, 저자를 버려라.
그러니, 꺼져라! 금덩어리가 여기 있다. 네놈들은 금 때문에 125
여기에 왔어, 노예 놈들아.

[화가에게] 넌 나를 위해 작품을 가지고 왔으니, 대가가 여기 있다.
가버려라! [시인에게] 네놈은 연금술사니까 그걸로 금을 만들어라.
꺼져라, 악질적인 개 같은 놈들!

[타이먼은 그들을 때려서 무대 밖으로 내쫓고, 자신의 동굴로 퇴장한다.
플라비어스와 두 명의 의원들이 등장한다.]

130 **플라비어스** 타이먼 공과 이야기하는 게 허사입니다.
왜냐하면 그분은 자기 자신에게만 관심이 있어서,
인간처럼 보이는 것들 중에 자기 자신에게만
친절하니까요.

의원1 우리를 동굴로 데려다주시오.
135 타이먼 공과 이야기를 나누는 것이
우리들의 역할이요 아테네 국민들에 대한 약속이니까.

의원2 시간은 언제든 한결같지만,
사람은 항상 똑같지 않지요. 그분을 이렇게 만든 것은
세월과 슬픔이지요. 시간이 공명정대한 손으로
140 지난날 그분의 재산을 되돌려준다면,
그분은 이전의 그 사람으로 될 것이요. 그분께 우리를 데려다주시오,
어떻게 되나 봅시다.

플라비어스 여기 그분의 동굴이 있습니다.
평화가 만족이 여기에 깃들기를! 타이먼 공, 타이먼 공,
145 나와서 친구들에게 말씀을 해주세요. 두 분의 가장 존경받는
의원들이 아테네 국민들을 대표해서 각하에게 문안을 드립니다.

두 분에게 말씀을 좀 해보십시오, 훌륭하신 타이먼 공.

[동굴에서 나와 타이먼 등장]

타이먼 위안을 주는 태양이여, 불타버려라! 말을 하면, 목을 매달아라.
진실한 말 한 마디마다 물집이 잡히고, 거짓된 말마다
그 혀의 뿌리를 녹은 쇳물로 태워버려라. 150
말을 하는 그 혀를 뽑아 없애버려라.

의원1 귀하신 타이먼 공.

타이먼 당신 같은 사람 말고는 누구도 타이먼의 상대가 아니야.

의원1 아테네의 의원들이 공에게 인사를 드립니다, 타이먼.

타이먼 의원들에게 감사하며, 답례로 염병이나 보내면 좋겠다, 155
내가 그놈들을 위한 염병을 붙잡을 수만 있다면.

의원1 오, 잊어주시오,
우리가 당신께 저지른 유감스러운 것들을.
사랑의 한 마음으로 동의한 의원들은
공께서 다시 아테네로 돌아오길 간청하고 있소. 160
아테네 국민들은 공석 중인 특별한 고위직에
공께서 취임하시는 것이 가장 좋다고 생각하고 있소.

의원2 의원들은 공에게 소홀했던 것이
너무나 명백했다고 인정하고 있어요.
거의 결정을 철회하지 않는 공공기관이 165
지금 타이먼 공을 돕지 못했다고
느끼고 있으며, 한편으론 타이먼 공을 돕는 데 인색했던 자신들의 잘못을 깨닫고 있소.
그리고 더 큰 보상의 보답과 함께
170 조금이라도 의원들의 잘못을 가벼이 하고,
슬픈 유감의 뜻을 전하기 위해 우릴 보냈소.
아, 산더미 같은 사랑과 재물로라도
공에 대한 그들의 잘못을 지울 것이고,
공의 마음에 사랑의 형상들을 아로새겨,
175 그것을 공의 것이라 읽게 할 것이오.

타이먼 당신은 그런 말씀으로 저를 매혹시키고,
눈물이 왈칵 쏟아지게 나를 놀라게 하십니다.
내게 바보의 마음과 여자의 눈을 빌려주시오,
그러면 저는 이런 위안에 눈물을 흘리겠소, 고귀하신 의원님들.

180 **의원1** 그러면 제발 우리와 함께 돌아가셔서,
공과 우리들과 아테네 국민들의 총사령관 직을
맡아주십시오. 공께선 수많은 감사와
절대적인 권력을 양도받으실 겁니다. 그리고 공의
훌륭한 명성은 권위를 누릴 것이요. 그래서
185 조만간 우린 사납게 진격해오는 알시비아데스를
곧 격퇴시킬 것이오,
너무나 사나운 멧돼지 같은 그놈은 조국의 평화를
뿌리째 뽑아놓을 것이오.

의원2 아테네의 성벽에다 대고 무시무시한 칼을
190 휘두르고 있소.

의원1 그래서 그런데, 타이먼 공—

타이먼 글쎄, 제가 한다니까요. 그래서 제가 이같이 하겠어요.
만약 알시비아데스가 내 국민들을 죽이면,
아무 상관하지 않겠다는 타이먼의 이러한 뜻을
그에게 알리시오. 그러나 만약 그가 아름다운 아테네를 약탈하고, 195
선량한 노인들의 수염을 잡아 쥐고,
오만불손하고 야수적이고 미친 전쟁의 더러움에
우리의 성스러운 처녀들을 바치면,
타이먼이 노인과 젊은이들을 동정하여
이렇게 말하더라고 그에게 전하시오, 200
난 상관하지 않으며, 내 말을 최악으로
알아들었으면 한다고.
당신네들의 잘려나갈 모가지가 붙어있는 동안
그 사람들의 칼에 관심이 없기 때문이지.
나로선 아테네의 존경받는 놈들의 모가지보다 205
폭도들의 큰 칼을 내가 좋아하고 더 높이 평가한다.
그러니, 도둑들을 간수에게 맡겨두듯이
난 당신네들을 번창하는 신의 보호에 맡겨두겠어.

플라비어스 더 있지 맙시다, 모든 게 허사에요.

타이먼 그렇지, 난 내 묘비문을 쓰고 있어, 210
내일 볼 수 있을 것이야. 내 오래된
건강과 생활의 병증이 호전되고 있어,
그리고 무소유가 내게 모든 것을 가져다주지. 가서 조용히 살아라.

알시비아데스 너희들의 역병이 되고, 너희들은 그의 역병이 되어
215 아주 오래토록 살거라.

의원1 우리가 말하는 게 헛일이요.

타이먼 그러나 난 내 조국을 아직까지는 사랑하오, 그리고 난
보통 사람들의 파멸을 즐거워하는 사람이 아니요,
사람들의 소문이 말하는 것처럼.

220 **의원1** 말씀은 잘 하셨습니다.

타이먼 내가 사랑하는 시민들에게 안부 말씀을 전해주오.

의원1 사람들에게 전해지면서 그 말씀이 당신을 명예롭게 하지요.

의원2 환호하는 개선문에 선 위대한 승리자처럼
우리들의 귓속으로 들어오는군요.

225 **타이먼** 시민들에게 내 안부를 전해주고,
이 말도 전해주시오, 인생의 불확실한 항해에서
타고난 연약한 육체가 감당해야 하는 괴로운 일과 함께,
그들의 슬픔, 적의에 찬 공격에 대한 공포, 고통, 상실,
사랑의 괴로움을 완화시키기 위해, 난 그들에게 친절을 베풀 것이오.
230 난 그들에게 사나운 알시비아데스의 분노를
회피하는 것을 가르쳐주겠소.

의원1 아주 좋아요. 타이먼 공이 다시 본래 모습이 될 것 같군요.

타이먼 여기 내 뜰에서 자라는 나무 한 그루가 있소,
내가 쓸 일이 있어 그걸 베어버릴까 하오,
235 그리고 곧 나무를 쓰러뜨릴 것이오. 내 친구들에게 말하시오,
지위가 높든 낮든 모든 아테네 시민들에게 말하시오,

고통을 멈추길 바라는 사람들은,
도끼로 나무를 쓰러뜨리기 전에,
서둘러서 여기로 와서, 목을 매달라고.
당신이 내 인사를 전해주길 부탁하오. 240

플라비어스 더 이상 그분을 성가시게 하지 마시오, 항상 이러실 테니.

타이먼 다시 내게 오지 말고, 아테네 사람들에게 전하기만 해라,
타이먼은 바닷물이 밀려드는 해변 근처에
영원한 저택을 지었으며, 하루에 한번은 요동치는 파도가
밀려오는 거품으로 뒤덮는다고. 여기로 와서, 245
내 묘비가 당신들의 신탁이 되게 해라.
입술이여, 네 마디 말만 더 뱉어 놓고 말문을 닫아라.
역병과 점염으로 바로잡는 것이 뭐가 잘못되었느냐!
인간의 작품은 무덤뿐이고, 죽음이 그 소득이다!
태양아, 그대의 빛을 감추어라. 타이먼의 시대는 끝났다. 250

[퇴장]

의원1 그의 불만을 없앨 수가 없군요.
천성이 되어버렸어요.

의원2 그에게 걸었던 희망은 끝났어요. 돌아가서,
무시무시한 위기 속에서 우리에게
어떤 다른 방안이 남았는지 노력해봅시다. 255

의원1 발걸음을 재촉해야겠군요.

[퇴장]

2장

사자와 함께 다른 두 명의 의원 등장

의원3 참 고생스럽게도 찾아냈구나. 그의 군대가 너의 보고처럼
그렇게 규모가 크더냐?

사자 최소한으로 말씀드렸습니다.
그 외에도, 그의 신속한 진격으로 보아 곧
5 밀어닥칠 것 같습니다.

의원4 만일 타이먼 공을 데려오지 못하면 우린 대단히 위험해지겠어요.

사자 옛날에 제 친구였던 전령을 만났는데, 비록 그는
공식적으론 대립하고 있지만 우리들의 오랜 정은
개인적으로 특별한 힘이 있어서,
10 친구처럼 이야기하게 되었습니다. 이 친구가 알시비아데스에게서
타이먼 공의 동굴로 청원서를 가지고 달려가고 있었는데,
그 청원서에는 그의 우정이 아테네에 대항하는 봉기의 동기이며,
부분적으론 자신이 목적 때문에 일어섰다는 내용이 있었습니다.

[타이먼에게서 오는 다른 두 명의 의원 등장]

의원3 우리들의 형제들이 오는군요.

15 **의원1** 타이먼에 대해선 말을 하지 마시오, 그 사람에 대해선 기대할 게
없어요.

적의 북소리가 들리고, 무시무시한 진군에
먼지가 숨을 막히게 해요. 들어가서 준비합시다.
우린 적의 올가미에 빠진 신세요.

[퇴장]

3장

숲속에서 한 명의 병사가 등장하여 타이먼을 찾는다.

병사 설명한 바에 따르면 이곳이 그 장소여야 하는데.
여기 누구 없습니까? 말씀하세요, 여보세요! 대답이 없군! 이게 뭐야?

[읽는다.]

"주어진 명줄보다 오래 살았던 타이먼은 죽었다.
짐승들이 이 글을 읽을진대, 살아있는 사람은 없을 테니."
5 확실히 죽었어, 이것이 그의 무덤이야. 묘비에 뭐가 쓰인 것을
내가 읽을 수 없구나. 밀랍으로 글자를 본떠가야지.

우리 대장은 어떤 글자에도 능통하시지,
연세로는 젊지만 글자해석에는 능통하시지.
지금쯤이면 오만한 아테네 놈들 앞에 진을 치고 계시겠지,
10 아테네의 몰락이 대장님의 야망의 목표지.

[퇴장]

4장

트럼펫 소리가 들린다. 알시비아데스가 아테네 앞으로 병사들을 데리고 등장한다.

알시비아데스 이 비겁하고 음탕한 도시에다 대고
우리의 무서운 진격을 알리는 나팔을 불어라.

[나팔이 회담이 뜻을 알리고,
의원들이 성벽위에 나타난다.]

지금까지 너희들은 네 멋대로 정의를 농단하면서
방탕한 행동으로 지내며 세월을 보냈다.
이제까지 내 자신과 네놈들의 권력의 그늘에 5
짓밟힌 사람들은, 팔짱만 끼고
헛되이 고통을 토해내며 방황했었다.
참는 자의 굴종해왔던 정신이
스스로 "더는 안 돼!"라고 외칠 때,
이제 때가 무르익었다. 이제 가슴 답답한 부정한 자들이 10
너희들의 위대한 안락의자에 앉아서 숨을 헐떡이고,
숨이 찬 오만한 자들은 무섭고 끔찍한 도망으로 인해
숨이 막힐 지경일 것이다.

의원1 고귀하고 젊으신 분이여,
당신이 군대를 가지기 전이었거나, 혹은 15

우리가 두려워해야 할 이유를 가지기 이전에,
당신의 맨 처음 불만이 단지 생각이었을 때,
우린 당신의 분노를 위로하고, 우리들의 배은망덕을
씻어내기 위해, 넘치는 우정으로 당신께
20 편지를 보냈습니다.

의원2 우리는 또한 변해버린 타이먼 공에게도
겸손한 전갈을 보내고 재산을 약속하는 것으로
아테네에 대한 애정을 구걸했습니다.
우리 모두가 매정하지 않았으니, 모두가
25 전쟁의 화를 똑같이 입을 필요는 없겠지요.

의원1 우리의 이 성벽은
당신에게 슬픔을 준 사람의 손으로
세운 것도 아니며, 그들의 개인적인 잘못 때문에
이런 대단한 탑들과 기념비들, 그리고 학교가
30 파괴되어서도 안 됩니다.

의원2 그리고 장군을 처음에 떠나게 한 원인이었던
사람들은 살아 있지도 않습니다.
그들이 분별이 부족했다는 것에
주체할 수 없는 수치심이 그들의 심장을 터져버리게 했지요.
35 고귀하신 장군, 군기를 펴들고 도시 안으로 진군해오시오.
열 명 중 한 명을 죽이는 법칙에 두고 맹세하오,
만일 장군의 복수가 천성적으로 혐오하는 음식에도
허기를 느낀다면,
장군의 그 예정된 열 명당 한 명 법칙을 따르시오.

주사위의 죽음의 표식에 걸렸을 경우에, 40
그 해당된 사람을 죽이시오.

의원1 모두가 다 죄를 범하진 않았소.
죽고 없는 자들 때문에 지금 살고 있는 사람들에 대해
복수를 하는 것은 공정하지 않소. 토지와 같이
범죄는 상속되지 않습니다. 그러니, 친애하는 동포여, 45
군대는 안으로 들어오되, 분노 없이 오시오.
분노의 폭풍 속에 죄를 지은 사람들과 함께
장군의 요람인 아테네와 그 동족들이 몰락하지 않도록
해주십시오. 양떼[72]에 접근해서
병든 것을 밖으로 가려내는[73] 양치기처럼, 50
모든 사람들을 한꺼번에 죽이지 마시오.

의원2 장군의 뜻대로 하시오,
칼로 행하지 마시고 웃는 얼굴로
힘대로 하십시오.

의원1 우리의 튼튼하게 보강된 성문에다 55
장군이 발길질만 하셔도 그 문이 열릴 것이오.
그러니 장군은 친절한 마음을 미리 보내서,
우호적으로 진입하겠다는 말을 전해주시오.

의원2 장군의 장갑 혹은
장군의 명예를 상징하는 그 어떤 것이라도 집어던진 것은, 60

---

72. fold: 양떼 혹은 기독교인들의 무리
73. cull: (병든 것을 무리들 중에서) 가려내다.

장군이 전쟁을 부당함을 바로잡기 위해 일으킨 것이지
우리의 파멸을 위한 것은 아닐 겁니다. 장군의 모든 군대가
성내에 진영을 세우게 될 것입니다, 우리가
장군의 모든 의도를 충족시킬 때까지.

65 **알시비아데스** 그러면, 내 장갑이 여기 있소.
내려와서 당신들의 공격받지 않은 피난처를 여시오.
당신네들 스스로 비난의 대상으로 골라 뽑은
타이먼 공과 나의 적들은
죽을 것이고, 그리고 더 이상은 없소. 그리고 나의
70 더욱더 고결한 뜻을 가지고 당신들의 공포를 진정시키기 위해
어떤 병사도 진영 밖을 나가지 않을 것이고, 도시 관내의
정해진 법률의 추세를 거스르지 않을 것이오.
그렇지 않으면 엄한 죄를 물어 당신들의 공법에 따라
처분을 맡길 것이오.

75 **의원1&2** 정말로 훌륭하게 말씀하셨습니다.

알시비아데스 내려와서 당신들의 말을 지키시오.

[의원들이 내려온다. 병사 입장]

병사 훌륭하신 장군님, 타이먼 공은 돌아가셨습니다.
바로 그 바닷가에 있는 무덤에 묻히셨습니다.
그리고 그 묘비에 새겨져 있는 것을
80 밀랍으로 탁본을 떠서 여기 가져왔습니다. 저의 불쌍한 무지를 대신해서
탁본의 희미한 흔적이 내용을 말해줄 것입니다.

알시비아데스 [묘비문을 읽는다.]

"여기 비참한 시신이 누워있다, 처참해진 영혼을 잃어버리고.
내 이름을 찾지 말라. 역병이여
남아있는 사악한 비겁한 놈들을 파멸시켜라!
나 타이먼은 여기에 누워있으며, 살아선 85
모든 살아있는 사람들을 증오했다.
그냥 지나치면서 한껏 저주해라, 그러나 지나가고
그대의 발길을 여기에 머물게 하지 말라."

공의 최근 감정이 여기에 잘 표현되어 있군.
비록 공께선 우리 인간들의 고통을 증오하고, 90
우리의 머리에서 흐르는, 인색한 본성에서 나와 떨어지는
우리의 작은 눈물방울을 비웃으시는구나. 그러나 풍부한 상상력은
거대한 바다의 신 넵튠께서 그대의 낮은 무덤과
용서를 받은 잘못에 대해 항상 흐느끼게 하도록 그대를 가르쳤소.
고귀하신 타이먼 공은 돌아가셨고, 그분에 대한 추도는 앞으로 95
더 할 것이요. 나를 성안으로 안내하라,
내 칼이 올리브 가지가 되도록 사용하겠다.[74]
전쟁이 평화를 자라게 하고,
평화는 전쟁을 멈추게 하며,
서로 의사가 되어 서로에게 치료를 처방하여라. 100
북을 쳐라.

[퇴장]

74. "올리브 가지"는 평화를 상징한다.

작품설명

1. 텍스트*

『아테네의 타이먼』은 셰익스피어의 극작품들 중 지금까지 공연 빈도가 낮은 작품에 속하며, 비평적 관심도 그다지 받지 못했다. 이러한 결과의 이유를 여러 가지로 추정해볼 수 있겠지만, 무엇보다도 작품자체의 완성도가 다른 비극 작품들에 비해 다소 떨어지기 때문이 아닌가 하

* 텍스트 역사에 대한 부분은 1) Stanley T. Williams, Some Versions of "Timon of Athens" on the Stage, *Modern Philosophy* 18.5(1920): 269-285; 2) John Dover Wilson, Prefatory Note, The Life of Timon of Athens vol.34, Cambridge: Cambridge UP, 2009; 3) Wikipeida Timon of Athens, http://en.wikipedia.org/wiki/Timon_of_Athens; 4) Earl Showerman "Timon of Athens: Shakespeare's Sophoclean Tragedy" http://www.shakespeareoxfordfellowship.org/wp-content/uploads/Oxfordian2009_Showerman_Timon.pdf를 주로 참조했다. 특정 부분을 그대로 해석하기보다는 내용을 참조하고 정리하는 데 위의 4가지 자료들을 주로 이용했다. 특별한 견해를 가진 특정 부분을 있는 그대로 인용하기보다는 두루 알려진 역사적 사실을 전체적으로 정리했기 때문에 따로 특정 문장에 특정 자료의 인용을 표시하지 않은 점을 양지하기 바란다.

는 의견들이 많다. 극이 전반적으로 지루하고 긴장감이 떨어질 뿐만 아니라 심지어 셰익스피어의 작품 같지 않다는 의견들이 대부분이긴 하다. 하지만 셰익스피어에 대한 신비평적 연구를 주도했던 윌슨 나이트(G. Wilson Knight)는 『아테네의 타이먼』을 보편적인 비극적 의미를 가진 대단한 작품이라 평가했다. 셰익스피어에 대한 애정에 흔들림이 없는 일부 비평가들의 긍정적인 평가에도 불가하고 이 작품에 대한 불만과 의심은 쉽게 걷히지 않는다. 옥스퍼드 셰익스피어 편집자인 존 조윗(John Jowett)은 『아테네의 타이먼』의 경우 처음부터 출판을 할 의도가 없었던 작품이라 주장한다. 사실 최초 2절판 폴리오 텍스트에는 막과 장에 대한 언급이 없었고 극적 배경이 되는 장소에 대해서도 구체적으로 명시하지 않았기 때문에 플롯의 구성과 극적 완성도가 미흡하게 보이는 것이 사실이다.

『아테네의 타이먼』은 1623년 출판국에 등록되어 폴리오 판으로 비극으로 분류되어 출판되었다. 작품의 집필시기에 대해서 학자들 간에 이견이 있지만, 1605년 무렵에 집필된 『리어왕』과 『아테네의 타이먼』이 주제와 문체적인 면에서 유사하다는 점을 고려할 때 대체로 1605년에서 1608년 사이에 쓰인 것으로 추정한다. 두 작품이 비슷한 이야기의 흐름과 분위기를 가지고 있지만 『리어왕』에 비해 『아테네의 타이먼』이 플롯의 완성도나 짜임새가 훨씬 떨어져 보이는 것은 아마도 이 작품이 전적으로 셰익스피어에 의해 만들어진 것이 아니라 토머스 미들턴(Thomas Middleton)과 공동 작업으로 만들어졌다는 데서 그 이유를 찾는 학자들이 많다. 본질적으로 문학적 성향과 세계관이 다른 두 작가가 공동작업을 하면서 서로의 장점을 살리지 못한 채 미완성에 가까운 상태로 작품을 서둘러 마무리했다는 의심을 지울 수 없다. 특히 작품의 후반부는 중반까지의 흐름과는 달리 타이먼의 복수도 흐지부지해졌고 사건의 흐름도 탄식과 독백 정도인데 민망할 정도로 이상하게 결말이 허무하다. 이러한 미완성에 가까운 결말이 결국 당대의 위대한 두 작가의 엉성한 협업의 산물이 아닐까 의심받고 있다.

사실, 『아테네의 타이먼』이 셰익스피어와 토머스 미들턴의 공동집필의 산물이라는 의견이 지난 세기 동안 꾸준히 제기되어 왔었고, 오늘날도 공동집필설은 정설처럼 받아들여지고 있다. 작품의 상당 부분에서 미들턴의 흔적을 찾는 것은 어려운 일이 아니다. 미들턴이 자신의 다른 작품에서 썼던 표현이나 문구들을 『아테네의 타이먼』에서 빈번하게 찾아볼 수 있다는 것은 공동집필설의 명백한 증거라고 여겨진다. 최근 연구에서 일부 연구자들도 이 작품의 저작을 주로 미들턴이 주도했으며 셰익스피어의 참여 분량은 미미했다고 주장한다. 정확한 분량의 문제에 대해 이견은 있지만 셰익스피어와 미들턴이 공동작업을 했다는 데 연구자들은 대체로 동의하고 있다. 옥스퍼드 편집본 『아테네의 타이먼』의 편집자인 존 조윗은 연회 장면, 타이먼 공의 빚쟁이들과 알시비아데스가 대립하는 장면, 그리고 집사가 등장하는 대부분의 장면을 미들턴이 썼다고 주장한다. 또한 조윗은 작품에 나타난 공격적이고 거친 유머와 개인적인 관계를 거부하는 인물들의 묘사가 미들턴의 흔적이라고 말한다.

타이먼에 대한 이야기는 16세기 영국에 이미 잘 알려져 있었다. 셰익스피어와 미들턴이 『아테네의 타이먼』을 공저하기 전에 타이먼에 대한 이야기를 토머스 노스(Thomas North)가 『플루타크의 생애』(*Plutarch's Lives*, 1579)를 통해 소개했다. 희랍의 전설적인 인간혐오주의자 타이먼은 이미 이 시기에 잘 알려진 소재였기 때문에 다른 작가들도 타이먼을 자신의 작품에서 다양하게 언급했다. 윌리엄 페인터(William Paynter)의 『쾌락의 궁전』(*Palace of Pleasure*, 1566)과 로버트 그린(Robert Green)의 『귄도니우스』(*Gwyndonius*, 1584) 같은 작품들도 비슷한 시기에 타이먼과 관련된 내용을 작품의 소재로 다루었다. 여러 정황으로 미루어볼 때 셰익스피어와 미들턴은 당시 타이먼에 대한 내용을 알고 있었고 이를 다시 극적 소재로 활용해서 『아테네의 타이먼』을 공저했다고 보는 것이 타당하다.

2. 비평동향*

『아테네의 타이먼』은 그동안 비평적 · 공연적으로 관심을 받지 못했던 소위 인기 없는 작품이었다. 특히나 작품이 공연에서 빛을 발하는 특징들을 별반 갖추지 못했기 때문에 그동안 거의 공연되지도 못했다. 공연

---

* 작품 비평에 대한 부분은 1) John Dover Wilson, Prefatory Note, *The Life of Timon of Athens* vol.34, Cambridge: Cambridge UP, 2009; 2) Wikipeida Timon of Athens, http://en.wikipedia.org/wiki/Timon_of_Athens; 3) Earl Showerman "Timon of Athens: Shakespeare's Sophoclean Tragedy" http://www.shakespeareoxfordfellowship.org/wp-content/uploads/Oxfordian2009_Showerman_Timon.pdf를 주로 참조했다. 특정 부분을 그대로 해석하기보다는 내용을 참조하고 정리하는 데 위의 3가지 자료들을 주로 이용했다. 특별한 견해를 가진 특정 부분을 있는 그대로 인용하기보다는 두루 알려진 역사적 사실을 전체적으로 정리했기 때문에 따로 특정 문장에 특정 자료의 인용을 표시하지 않은 점을 양지하기 바란다.

에 비해서 작품의 문학적 가치에 대해 호의적으로 평가하는 비평가들은 드물게 있었다. 소설가 허먼 멜빌(Herman Melville)은 셰익스피어의 극들 중에서 『아테네의 타이먼』이 가장 심오한 주제를 가졌다고 호평했다. 멜빌은 특히 타이먼의 광기와 내적 분노를 찬양하면서, 햄릿과 리어를 타이먼과 같은 수준에서 열거하며 평가하고 있다. 그는 1852년의 소설 『피에르』(*Pierre*)에서 독자 및 인간 전체에 대하여 경멸하듯이 거부하는 예술가의 행위를 "타이모니즘"(Timonism)이란 용어를 만들어서 설명했다.

윌슨 나이트를 포함해서 『아테네의 타이먼』의 문학적 가치를 지지하는 비평가들은 작품이 지닌 '물질에 대한 인간의 탐욕과 삶의 본질적 가치관에 대한 문제'를 주로 비극적인 주제로 탐구했다. 작품이 가진 인간성과 삶에 대한 주제는 철학자 아페만터스를 통해 더욱 선명해진다. 타이먼이 사람들에게 선물을 뿌려대며 연회를 열고 귀한 음식들을 대접하자 그의 주변에는 늘 그를 칭송하는 사람들로 들끓는다. 타이먼은 그 사람들을 진정한 친구로 여기거나 최소한 자신을 진심으로 좋아하는 사람이라 생각한다. 수많은 사람들이 그를 따르고 그에게 경쟁하듯 선물을 갖다 바치지만, 정작 그들의 본심은 선물을 받으면 더 많은 답례를 하는 타이먼을 이용해서 더 큰 물건을 얻고 싶은 것이다. 타이먼은 사람들의 이런 본심을 모르고 모두 자신의 진정한 친구라고 여기며 그들을 헌신적으로 사랑하는 박애주의자(philanthrope)의 모습을 보인다. 이에 대해 철학자 아페만터스만이 그의 어리석음을 비웃고 사람들의 천박한 물욕과 인간성에 독설을 퍼붓는다.

타이먼은 자신이 가진 것 이상의 재산을 탕진하자 친구들에게 돈을 빌리기 위해 하인을 보낸다. 타이먼의 기대와는 달리 친구들은 돈을 빌려주지 않을 뿐만 아니라 오히려 그동안 빌려준 돈을 받으려고 몰려든다. 빈털터리가 된 타이먼은 아테네에서 쫓겨나 세상 인심과 인간을 저주하며 숲속 동굴에서 홀로 지낸다. 그는 아테네가 몰락하고 아테네 시민들이 멸망하라는 저주를 퍼붓는다. 그는 풀뿌리를 캐먹으며 연명하다 우연히 땅에 묻혀있던 금덩이를 발견한다. 그는 자신을 찾아온 알시비아데스에게 금덩이를 건네며 아테네로 쳐들어가 모든 것을 파멸시켜버리라고 부탁한다. 아테네에서 타이먼에게 사람을 보내 알시비아데스가 아테네를 공격하지 못하도록 부탁하지만 그는 단호히 거절하며 쓸쓸히 죽어간다. 알시비아데스는 마침내 아테네의 항복을 받아내지만 타이먼의 죽음을 보고 받고 애통해 한다.

『아테네의 타이먼』은 물질과 우정이라는 대단히 현실적인 주제를 가지고 있으며, 이를 통해 사회적 인간의 본성에 대해 신랄하게 조롱한다. 『리어왕』이나 『맥베스』가 보통 사람들이 꿈꿀 수 없는 상황에서의 갈등을 소재로 하고 있지만, 규모의 차이는 있으나 『아테네의 타이먼』의 물질과 우정이란 주제는 예나 지금이나 관객들이 흔히 경험할 수 있는 내용이다. 이런 점에서 『아테네의 타이먼』은 셰익스피어의 다른 극작품들보다 훨씬 현실적인 문제를 다루고 있다고 볼 수 있다. 스티븐 그린블랫(Stephen Greenblatt)이 언급한 "사회적 에너지"(social energy)가 있는 주제임에도 불구하고 그동안 이 작품이 공연이나 비평의 관심 밖에 머물렀던 것은 작품의 구조적인 완성도에 그 원인이 있었던 것으로 대다수의 비평가들이 동의한다. 또한 『아테네의 타이먼』이 물질에 시험받는 인간성 문제를 다루고 있기 때문에 신비평 학계에서 잠깐 주목을 받기도 했지만 90년대 이후 르네상스 영문학 연구의 큰 흐름을 이루었던 신역사주의의 선택을 받지는 못했다. 주된 이유는 아무래도 이 작품이 신역사주의자들이 선호했던 '역사적 환경과 작품 내용 간의 연결성'이 느슨했던 탓이기 때문인 듯하다. 즉, 작품에 드러난 갈등의 요소가 당시의 사회적 현상이나 문제와 의미심장하게 연계되어 있지 않아서 진정한 역사와 임의적으로 연결할 만한 요소가 적었기 때문이라 여겨진다.

최근 『아테네의 타이먼』에 대한 새로운 관심이 조금씩 일어나고 있다. 여전히 작품의 구조적 문제가 독자와 관객을 괴롭히지만 물질적 욕망과 진정한 인간관계에 대한 주제가 현대의 독자와 관객들에게 자신들이 처한 상황처럼 이야기하고 있기 때문이다. 2012년 런던의 올리버 극장에서 공연된 니콜라스 하이트너(Nicholas Hytner)가 연출한 『아테네의 타이먼』은 그 배경을 현대로 하고 있으며 원작의 아테네를 현대의 자본주의의 중심인 런던으로 배경을 대체하였다. 우정과 사랑도 구매될 수 있는 극단적인 자본주의적 병폐와 인간성 상실을 현대적 배경으로 다루고 있으며, 타이먼의 몰락을 통해 현대 자본주의와 인간성의 문제를 예리하게 드러내고 있다. 하이트너의 연출은 『아테네의 타이먼』이 오늘날 현대적으로 새롭게 해석될 수 있는 가능성이 충분하다는 것을 보여주었다. 어쩌면 신역사주의들의 입맛에는 맞지 않았던 『아테네의 타이먼』이 문화유물론 비평가들의 관심을 끌기에는 충분한 요소를 갖추고 있다고 본다. 이런 면에서 『아테네의 타이먼』은 앞으로 셰익스피어 연구의 새롭게 인기 있는 관심작품으로 떠오를 가능성이 충분하다고 본다.

3. 공연사*

셰익스피어의 작품들 중에서 『아테네의 타이먼』만큼 개작이 다양하게 시도된 작품은 드물 것이다. 지금까지 대략 20개 정도에 이르는 다양한 개작이 공연되었다. 또한 독일, 프랑스, 영국, 미국 등 다양한 국가에서 각국의 문화적 · 역사적 환경에 맞게 작품의 내용과 배경을 바꾸어서 『아테네의 타이먼』을 공연해오고 있다. 그러나 『아테네의 타이먼』에 대한 공연은 셰익스피어 생존 당시에는 활발하지 않았던 것 같다. 그래서 그런지 『아테네의 타이먼』에 대한 당시의 공연기록은 알려져 있지 않다. 그러다 17세기 후반 왕정복고기부터 이 작품의 공연이 본격화 되었다. 1678년 섀드웰(Thomas Shadwell)이 개작한 『아테네의 타이먼, 인간 혐오자의 역사』(*The History of Timon of Athens, the Man-Hater*)가 발표되었다. 이 개작에는 원작에는 없던 타이먼의 약혼녀가 등장하기도 했다. 1768년에 제임스 댄스(James Dance)가 개작 작품을 발표했으며, 그 후엔 리처드 컴벌랜드(Richard Cumberland)가 개작한 작품이 1771년 드루리 레인(Drury Lane) 극장에서 공연되었다. 이후에도 원작의 공연보다

* 공연사 부분은 여러 자료를 참조하여 정리했다. 특히 1) Stanley T. Williams, Some Versions of "Timon of Athens" on the Stage, *Modern Philosophy* 18.5(1920): 269-285; 2) John Dover Wilson, Prefatory Note, The Life of Timon of Athens vol.34, Cambridge: Cambridge UP, 2009; 3) Wikipeida Timon of Athens, http://en.wikipedia.org/wiki/Timon_of_Athens을 주로 참조했다. 특정 부분을 그대로 해석하기보다는 내용을 참조하고 정리하는 데 위의 3가지 자료들을 주로 이용했다. 특별한 견해를 가진 특정 부분을 있는 그대로 인용하기보다는 두루 알려진 역사적 사실을 전체적으로 정리했기 때문에 따로 특정 문장에 특정 자료의 인용을 표시하지 않은 점을 양지하기 바란다.

는 개작된 작품의 공연이 꾸준히 이어졌다. 1787년에는 토머스 헐(Thomas Hull)이, 1816년엔 조지 램(George Lamb)이 개작한 작품이 공연되었다. 그리고 1851년에 새뮤얼 펠프스(Samuel Phelps)가 원작에 충실한 『아테네의 타이먼』을 공연했다. 셰익스피어 이후 원작보다는 개작의 공연이 주로 이루어졌다는 것은 원작이 가진 내용이 시대에 따라 다양하게 해석될 수 있는 소재라는 것을 의미한다.

20세기에 와서도 『아테네의 타이먼』에 대한 다양한 개작이 시도되었다. 1993년 뉴욕 라이세움 극장(Lyceum Theatre)에서 원작의 배경과 내용을 지킨 『아테네의 타이먼』이 공연되었다. 1997년 시카고 셰익스피어 극장에서 이 작품은 현대적인 배경과 의상으로 개작, 공연되었다. 2011년 배리 에델스타인(Barry Edelstein)이 퍼블릭 극장(The Public Theatre)에서 약간 개작한 『아테네의 타이먼』을 무대에 올렸으며 비평가들의 호평을 받았다. 같은 해 뉴저지의 허드슨 셰익스피어 극단(the Hudson Shakespeare Company)에서는 이 작품을 1920년대 배경으로 개작하여 공연했다. 2012년에는 영국 국립극단(the British National Theatre)이 이 작품을 현대극으로 개작하여 공연했다. 『아테네의 타이먼』은 과거에 비해 최근에 극단의 관심을 받는 작품이다. 작품이 가진 여러 가지 문제점에도 불구하고 셰익스피어의 작품들 중 돈과 인간관계를 다루고 있는 드문 주제의 작품으로 그 내용이 오늘날의 사회적 문제와 관심에 부응하기 때문이다.

셰익스피어 생애 및 작품 연보

셰익스피어의 생애와 작품의 집필연대 중 일부는 비교적 정확히 기록되어 있는 자료에 의존할 수 있지만, 대부분은 막연한 자료와 기록의 부족으로 그 시기를 추정할 수밖에 없으며, 특히 작품 연보의 경우 학자들에 따라 순서나 시기에 차이가 있음을 밝힌다.

1564	잉글랜드 중부 소읍 스트랫포드 어폰 에이번Stratford-upon-Avon 출생(4월 23일). 가죽 가공과 장갑 제조업 등 상공업에 종사하면서 마을 유지가 되어 1568년에는 읍장에 해당하는 직high bailiff을 지낸 경력이 있는 존 셰익스피어와, 인근 마을의 부농 출신으로 어느 정도 재산을 상속받은 메리 아든Mary Arden 사이에서 셋째로 출생. 유복한 가정의 아들로 유년시절을 보냄.
1571	마을의 문법학교Grammar School에 입학했을 것으로 추정.
1578	문법학교를 졸업했을 것으로 추정. 졸업 무렵 부친 존은 세금도 내지 못하고 집을 담보로 40파운드 빚을 냄.
1579	부친 존이 아내가 상속받은 소유지와 집을 팔 정도로 가세가 갑자기 어려워짐.
1582	18세에 부농 집안의 딸로 8년 연상인 26세의 앤 해서웨이Anne Hathaway와 결혼(11월 27일 결혼 허가 기록).
1583	결혼 후 6개월 만에 맏딸 수잔나Susanna 탄생(5월 26일 세례 기록).

1585	아들 햄넷Hamnet과 딸 쥬디스Judith(이란성 쌍둥이) 탄생(2월 2일 세례 기록).
1585~1592	'행방불명 기간'lost years으로 알려진 8년간의 행방에 관한 자료가 거의 없음. 학교 선생, 변호사, 군인, 혹은 선원이 되었을 것으로 다양하게 추측. 대체로 쌍둥이 출생 이후 어떤 시점(1587년)에 식구들을 두고 런던으로 상경하여 극단에 참여, 지방과 런던에서 배우이자 극작가로서 경험을 쌓았을 것으로 추측.
1590~1594	1기(습작기): 주로 사극과 희극 집필.
1590~1591	초기 희극 『베로나의 두 신사』(*The Two Gentlemen of Verona*) 『말괄량이 길들이기』(*The Taming of the Shrew*)
1591	『헨리 6세 제2부』(*Henry VI*, Part II)(공저 가능성) 『헨리 6세 제3부』(*Henry VI*, Part III)(공저 가능성)
1592	『헨리 6세 제1부』(*Henry VI*, Part I)(토머스 내쉬Thomas Nashe와 공저 추정) 『타이터스 안드로니커스』(*Titus Andronicus*)(조지 필George Peele과 공동 집필/개작 추정)
1592~1593	『리처드 3세』(*Richard III*)
1592~1594	봄까지 흑사병 때문에 런던의 극장들이 폐쇄됨.
1593	「비너스와 아도니스」(*Venus and Adonis*)(시집)
1594	「루크리스의 강간」(*The Rape of Lucrece*)(시집) 두 시집 모두 자신이 직접 인쇄 작업을 담당했던 것으로 추

정되며, 사우샘프턴 백작The third Earl of Southampton에게 헌사 하는 형식.

챔벌린 극단Lord Chamberlain's Men의 배우 및 극작가, 주주로 활동.

1593~1603 및 이후	『소네트』(*Sonnets*)
1594	『실수 연발』(*The Comedy of Errors*)
1594~1595	『사랑의 헛수고』(*Love's Labour's Lost*)
1595~1600	2기(성장기): 낭만희극, 희극, 사극, 로마극 등 다양한 장르 집필.
1595~1596	『로미오와 줄리엣』(*Romeo and Juliet*) 『리처드 2세』(*Richard II*) 『한여름 밤의 꿈』(*A Midsummer Night's Dream*) 『존 왕』(*King John*)
1596	아들 햄넷 사망(11세, 8월 11일 매장). 부친의 가족 문장 사용 신청을 주도하여 허락됨(10월 20일).
1596~1597	『베니스의 상인』(*The Merchant of Venice*) 『헨리 4세 제1부』(*Henry IV, Part I*) 스트랫포드에 뉴 플레이스 저택Great House of New Place 구입(마을에서 두 번째로 큰 저택으로 런던 생활 후 은퇴해서 죽을 때까지 그곳에 기거).
1598	벤 존슨Ben Jonson의 희곡 무대에 출연.
1598~1599	『헨리 4세 제2부』(*Henry IV*, Part II) 『헛소동』(*Much Ado About Nothing*)

『헨리 5세』(*Henry V*)

1599　시어터 극장The Theatre에서 공연하던 셰익스피어의 극단이 땅 주인의 임대계약 연장을 거부하자 '극장'을 분해하여 템즈강 남쪽 뱅크사이드 구역으로 옮겨 글로브 극장The Globe을 짓고 이곳에서 공연. 지분을 투자하여 극장 공동 경영자가 됨.

1599~1600　『줄리어스 시저』(*Julius Caesar*)

『좋으실 대로』(*As You Like It*)

1601~1608　3기(원숙기): 주로 4대 비극작품이 집필, 공연된 인생의 절정기

1600~1601　『햄릿』(*Hamlet*)

『윈저의 즐거운 아낙네들』(*The Merry Wives of Windsor*)

『십이야』(*Twelfth Night*)

1601　「불사조와 거북」(*The Phoenix and the Turtle*)(시집)

아버지 존 사망(9월 8일 장례).

1601~1602　『트로일러스와 크레시다』(*Troilus and Cressida*)

1603　엘리자베스 여왕 사망(3월 24일). 추밀원이 스코틀랜드의 제임스 6세를 잉글랜드의 제임스 1세로 선포.

제임스 1세 런던 도착(5월 7일) 후 셰익스피어 극단 명칭이 챔벌린 경의 극단에서 국왕의 후원을 받는 국왕 극단King's Men으로 격상되는 영예(5월 19일).

제임스 1세 즉위(7월 25일).

1603~1604　『자에는 자로』(*Measure for Measure*)

『오셀로』(*Othello*)

1605　『끝이 좋으면 모두 좋다』(*All's Well That Ends Well*)

	『아테네의 타이몬』(*Timon of Athens*)(토머스 미들턴Thomas Middleton과 공동작업)
1605~1606	『리어 왕』(*King Lear*)
1606	『맥베스』(*Macbeth*)
	『안토니와 클레오파트라』(*Antony and Cleopatra*)
1607	딸 수잔나, 성공적인 내과의사인 존 홀John Hall과 결혼(6월 5일).
1607~1608	『페리클레스』(*Pericles*)(조지 윌킨스George Wilkins와 공동작업)
	『코리올레이너스』(*Coriolanus*)
1608~1613	제4기: 일련의 희비극 집필.
1608	셰익스피어 극장이 실내 극장인 블랙프라이어스Blackfriars 극장을 동료배우들과 함께 합자하여 임대함(8월 9일).
	어머니 메리 사망(9월 9일 장례).
1609	셰익스피어 극장이 블랙프라이어스 극장 흡수, 글로브 극장과 함께 두 개의 극장 소유.
1609~1610	『심벌린』(*Cymbeline*)
1610~1611	『겨울 이야기』(*The Winter's Tale*)
	『태풍』(*The Tempest*)
1611	고향 스트랫포드로 돌아가 은퇴 추정.
1613	『헨리 8세』(*Henry VIII*)(존 플레처John Fletcher와 공동작업설)
	『헨리 8세』 공연 도중 글로브 극장 화재로 전소됨(6월 29일).
1613~1614	『두 귀족 친척』(*The Two Noble Kinsmen*)(존 플레처와 공동작업)
1614~1616	말년: 주로 고향 스트랫포드의 뉴 플레이스 저택에서 행복하

고 평온한 삶 영위.

1616 둘째 딸 쥬디스, 포도주 상인 토마스 퀴니Thomas Quiney와 결혼(2월 10일).

쥬디스의 상속분을 퀴니가 장악하지 않도록 유언장 수정(3월 25일).

스트랫포드에서 사망(4월 23일. 성 삼위일체 교회 내에 안장).

1623 『페리클레스』를 제외한 36편의 극작품들이 글로브 극장 시절 동료 배우 존 헤밍John Heminge과 헨리 콘델Henry Condell이 편집한 전집 초판인 제1이절판으로 출판됨.

아내 앤 해서웨이 사망(8월 6일).

옮긴이 **송원문**

부산대학교 영어영문학과 졸업, University of Alabama 석사, University of Wisconsin–Madison 박사
현재 신라대학교 영어과 교수, 한국셰익스피어학회 연구이사, 새한영어영문학회 연구이사
새한영어영문학회 편집이사 · 편집위원장 · 부회장, 신라대학교 인문과학연구소장 역임
저서 『영어, 결국엔 작문이다 2 실용편』(2014, 경문사)
『영미문학개관』(2011, 경문사)
『문학, 영화, 비평이론』(2004, 한신문화사)
외 다수의 저서가 있음.
역서 『여성주의 연극이론과 공연』(질 돌란 저, 1999, 한신문화사)
논문 「16세기 영국 유대인에 대한 문화담론과 크리스토퍼 말로우의 극적 재현: 『몰타의 유대인』」(2013, 『새한영어영문학』 55.3)
「르네상스 연극의 유대인에 대한 극적 재현 양상과 역사적 배경–바라바스와 샤일록」(2013, 『영국연구』 29)
「베니스의 도망친 두 딸들의 같음과 차이: 제시카와 데스데모나」(2012, 『새한영어영문학』 54.3)
「케이트는 왜 길들여졌을까?: 『말괄량이 길들이기』에 반영된 여성육체의 통제를 위한 영국 초기현대의성적 담론과 의학」(2010, 『새한영어영문학』 52.1)
외 20여 편의 논문이 있음.

아테네의 타이먼

초판 발행일 2015년 4월 17일

옮긴이 송원문
발행인 이성모
발행처 도서출판 동인
주 소 서울시 종로구 혜화로3길 5 118호
등 록 제1-1599호
TEL (02) 765-7145 / FAX (02) 765-7165
E-mail dongin60@chol.com
ISBN 978-89-5506-655-5
정 가 8,000원

※ 잘못 만들어진 책은 바꿔 드립니다.